D1164278

Louise est de retour

Éditrice : Liette Mercier
Infographie : Johanne Lemay
Révision : Lise Duquette

Gouvernement du Québec – Programme de crédit d'impôt pour l'édition de livres – Gestion SODEC – www.sodec.gouv.qc.ca

L'Éditeur bénéficie du soutien de la Société de développement des entreprises culturelles du Québec pour son programme d'édition.

Conseil des Arts du Canada | Canada Council for the Arts

Nous remercions le Conseil des Arts du Canada de l'aide accordée à notre programme de publication.

Nous reconnaissons l'aide financière du gouvernement du Canada par l'entremise du Fonds du livre du Canada pour nos activités d'édition.

02-14

© 2014, Les Éditions de l'Homme,
division du Groupe Sogides inc.,
filiale de Québecor Média inc.
(Montréal, Québec)

Tous droits réservés

Dépôt légal : 2014
Bibliothèque et Archives nationales
du Québec

ISBN 978-2-7619-3994-2

DISTRIBUTEURS EXCLUSIFS :
Pour le Canada et les États-Unis :
MESSAGERIES ADP*
2315, rue de la Province
Longueuil, Québec J4G 1G4
Téléphone : 450-640-1237
Télécopieur : 450-674-6237
Internet : www.messageries-adp.com
* filiale du Groupe Sogides inc.,
filiale de Quebecor Media inc.

Pour la France et les autres pays :
INTERFORUM editis
Immeuble Paryseine, 3, Allée de la Seine
94854 Ivry CEDEX
Téléphone : 33 (0) 1 49 59 11 56/91
Télécopieur : 33 (0) 1 49 59 11 33
Service commandes France Métropolitaine
Téléphone : 33 (0) 2 38 32 71 00
Télécopieur : 33 (0) 2 38 32 71 28
Internet : www.interforum.fr
Service commandes Export – DOM-TOM
Télécopieur : 33 (0) 2 38 32 78 86
Internet : www.interforum.fr
Courriel : cdes-export@interforum.fr

Pour la Suisse :
INTERFORUM editis SUISSE
Case postale 69 – CH 1701 Fribourg – Suisse
Téléphone : 41 (0) 26 460 80 60
Télécopieur : 41 (0) 26 460 80 68
Internet : www.interforumsuisse.ch
Courriel : office@interforumsuisse.ch
Distributeur : OLF S.A.
ZI. 3, Corminbœuf
Case postale 1061 – CH 1701 Fribourg – Suisse
Commandes :
Téléphone : 41 (0) 26 467 53 33
Télécopieur : 41 (0) 26 467 54 66
Internet : www.olf.ch
Courriel : information@olf.ch

Pour la Belgique et le Luxembourg :
INTERFORUM BENELUX S.A.
Fond Jean-Pâques, 6
B-1348 Louvain-La-Neuve
Téléphone : 32 (0) 10 42 03 20
Télécopieur : 32 (0) 10 41 20 24
Internet : www.interforum.be
Courriel : info@interforum.be

Bibliothèque publique de la Municipalité de la Nation
Succursale ST ALBERT Branch
Nation Municipality Public Library

Chrystine Brouillet

Louise est de retour

roman

Une société de Québecor Média

À Jacob Tierney,
Qui en ressuscitant Louise au grand écran
m'a donné envie de la mettre en scène à nouveau.

ÉPISODE 1

Mercredi, 18 avril 2001, 1 h 10

Il faisait nuit lorsque Louise rentra à la maison. Elle ouvrit doucement la porte pour ne pas réveiller Victor et sourit en l'entendant ronfler dans leur chambre. Elle était satisfaite de ne pas avoir à répondre maintenant à ses questions. Elle avait bien sûr imaginé un scénario, mais elle n'avait pas envie de lui raconter tout ce qu'elle avait inventé en revenant de Trois-Rivières. Ce qu'elle voulait, c'était flatter ses chats, allongée sur le divan du salon en sirotant un verre de pomerol.

Louise préférait le vin blanc au vin rouge, mais elle avait eu froid à la campagne et n'avait pas réussi à se réchauffer pendant le trajet de retour vers Montréal, malgré le chauffage mis au maximum dans la voiture. Tout ce temps passé dans des bottes trop grandes avait gelé ses os jusqu'à la moelle, mais avait-elle le choix? Il n'était pas question qu'elle laisse ses empreintes chez l'éleveur en portant ses propres bottes; le plus débutant des meurtriers sait cela! Et elle n'en était pas à ses premières armes, même si bien de l'eau avait coulé sous les ponts depuis la mort de l'horrible voisine qui avait assassiné ses chats et celle de Roland qui avait tenté de la faire chanter. Presque vingt ans de cela…

Elle n'aurait jamais cru qu'elle tuerait de nouveau, mais comment agir différemment quand on se heurte à tant de cruauté ? Elle était allée visiter la chatterie dans l'idée d'y acheter un tonkinois et aurait peut-être tué Pierre Bordeleau sur-le-champ s'il n'y avait pas eu un autre visiteur, un homme âgé aux épaisses lunettes qui n'avait pas semblé aussi horrifié qu'elle par les déplorables conditions dans lesquelles vivaient une trentaine de chats. Des cages trop petites, des litières insuffisantes, un espace « jeux » où les plus grands attaquaient les petits, toutes races confondues. Une odeur de désodorisant à la lavande n'arrivait pas à masquer les relents d'urine qui imprégnaient les lieux. Elle avait plaint intérieurement chacun des chats qui s'y trouvaient avant de sourire à Pierre Bordeleau.

— Ils sont tellement beaux ! Je ne sais pas lequel choisir ! Je ferais mieux de revenir avec mon mari. Vous comprenez, on veut en acheter trois, alors il ne faut pas se tromper. Mardi, ce serait possible ?

— Pas de problème. À la même heure ?

— Non, à la fin de l'après-midi. Ça ira ?

Bordeleau avait hoché la tête, souriant à son tour, imaginant la somme qu'il empocherait. Louise avait regagné sa voiture sans se retourner, refusant de revoir les bêtes maltraitées. Leurs miaulements déchirants l'avaient poursuivie jusqu'au moment où elle s'était engouffrée dans le véhicule. Sa décision était prise à l'instant où elle avait mis les pieds dans le bâtiment.

Elle se demandait pourquoi personne n'avait encore arrêté l'immonde Bordeleau, pourquoi personne ne l'avait dénoncé.

Elle aurait pu le faire elle-même, mais elle considérait que les peines imposées pour cruauté envers les animaux n'étaient pas suffisantes. Et pas assez dissuasives. Elle avait déjà dénoncé deux propriétaires de chenil dans la région de Lanaudière et une femme possédant une chatterie dans l'Outaouais, et elle avait été déçue des résultats. Oui, ils avaient été arrêtés, oui, ils avaient fait la une des journaux, mais quelques mois plus tard on avait tout oublié. Ils pouvaient recommencer leur petite vie tranquillement, sans être inquiétés. Il fallait des mesures draconiennes et le premier à en prendre connaissance serait Pierre Bordeleau.

D'où l'achat de bottes d'homme. Même si elle les avait portées avec deux paires de bas de laine après les avoir lestées d'une semelle de plomb, elle avait eu froid aux pieds. Elle avait toujours les pieds gelés et rien ne la ravissait plus que cet instant béni où un des chats venait se coucher sur ses chevilles. Ils avaient toujours aimé ses bas en cachemire, une des seules vraies coquetteries à laquelle l'avait habituée Victor. Ils devaient être mariés depuis trois ou quatre ans quand il lui avait offert des chaussettes en cachemire et, hormis tout ce qu'il lui avait donné pour les chats, c'était un cadeau qui l'avait agréablement surprise. Depuis, il lui en avait offert à chaque Noël. Ses collègues de travail se moquaient un peu du manque d'imagination de Victor, mais Louise le défendait : elle adorait le cachemire et recevoir des chaussettes à Noël. Elle aimait les rituels qui simplifiaient les choses.

Elle se souvenait combien elle avait détesté déménager, même si c'était pour une bonne raison, même si elle avait tout de suite aimé l'immeuble où Victor et elle s'étaient installés en 1999. Elle se rappelait combien elle s'était inquiétée pour Freya et Melchior. Les chatons détestaient être enfermés dans leurs sacs de voyage, et elle avait eu beau leur répéter qu'ils habiteraient dorénavant dans un appartement beaucoup plus vaste, ils avaient miaulé pendant une bonne partie du trajet entre la capitale et la métropole. Elle avait craint ensuite qu'ils ne s'échappent de la salle de bain où elle les avait installés le temps du déménagement. Il aurait suffi qu'un de ces types costauds ouvre la porte par mégarde et l'un ou l'autre se serait enfui. Se serait perdu dans l'immeuble. Ou dans la rue. Dans la ville. Elle ne les aurait jamais retrouvés.

Heureusement, tout s'était bien passé. Après s'être montré très prudent la première journée, après avoir visité avec circonspection chaque recoin de leur nouvelle résidence, Melchior avait entraîné Freya hors de sa cachette. À la fin de l'après-midi, tandis que Louise vidait les boîtes et plaçait la vaisselle dans les armoires, ils avaient couru de long en large dans l'appartement avant de venir frotter leur museau contre les jambes de Louise, enfin rassurée sur leur sort.

Victor avait eu raison d'insister pour déménager. Ils étaient beaucoup mieux dans cet appartement où le soleil réchauffait les planchers en bois franc d'un beau blond pâle. Ils avaient renoncé aux tapis, car le nettoyage pouvait s'avérer plus compliqué si un des chats vomissait. Et les planchers de bois étaient parfaits pour faire glisser les balles qui fascinaient tant Freya.

Ils craquaient un peu cependant et Louise, même si elle avait pris soin de retirer ses bottes – les siennes, pas celles qu'elle avait utilisées plus tôt dans la soirée –, avait craint que Victor ne se réveille. Mais non, il dormait profondément et Louise se détendit alors que Freya grimpait sur elle et boulangeait ses cuisses. Elle sentait les piqûres de ses petites griffes à chaque mouvement de pétrissage, mais cette légère douleur, si rituelle, l'apaisait ce soir.

* * *

Mercredi, 15 juin 2011, 16 h 30

C'était bien lui. C'était bien Victor qui penchait sa tête vers une femme, qui posait sa main sur la sienne durant quelques secondes, la retirait en jetant des regards inquiets autour de lui. Son Victor. Louise avait fini par croire que ça n'arriverait jamais, mais il était pourtant là, dans ce restaurant du Vieux-Montréal, en face d'une jolie brune. Du moins, le semblait-il à Louise ; elle n'était pas assez proche pour distinguer parfaitement ses traits. Elle s'en étonna. Comment Victor, aussi laid, avait-il pu séduire une belle femme ? Elle se corrigea aussitôt ; c'était sûrement cette inconnue qui l'avait dragué, qui avait flairé sa naïveté.

Les années n'avaient guère changé Victor, même s'il vivait avec elle, si terre à terre, si lucide, si sceptique. Il était toujours cet homme timide, effacé, qui s'efforçait de voir la vie en rose et de fuir les tracas. Il avait même réussi à balayer ses scrupules, à les oublier après le meurtre de leur voisine et la mort suspecte de Roland, à se persuader que tout était parfait dans le meilleur des mondes. Puisqu'elle était à ses côtés, puisqu'elle avait accepté de l'épouser. Elle n'avait jamais compris pourquoi il tenait tant au mariage, mais comme ce mariage scellait leur pacte de silence, elle s'était pliée aux rituels des fiançailles et des noces et s'était accoutumée à la vie conjugale. Elle s'était arrangée pour travailler le soir, alors que Victor enseignait le jour. Ils ne se voyaient que le samedi et le dimanche après-midi. Et il était parfait avec les chats. C'est tout ce qui importait au fond, qu'il les aime sincèrement.

Et voilà qu'il batifolait avec une autre femme. Ou peut-être pas. Peut-être qu'ils n'avaient pas encore commis l'adultère. Ça ne saurait tarder. L'inconnue avait repris la main de Victor, l'avait posée sur sa joue en souriant. Et Victor s'abandonnait…

Louise les observa un moment, puis poursuivit sa route, se demandant comment gérer cette information. Elle ne doutait pas du sérieux de cette rencontre. Victor était trop scrupuleux pour une aventure d'un soir. Même l'expression *one night stand* le heurtait lorsqu'ils s'étaient rencontrés et il parlait avec incrédulité de l'attitude dévergondée de certaines de ses étudiantes. Cette nouvelle relation avait donc son importance et Louise devait mesurer les changements qui ne manqueraient pas d'affecter son quotidien. En bien ou en mal ? Et pourquoi Victor continuait-il à vouloir coucher avec elle s'il pensait à une autre ? Parce que c'était elle qui était disponible actuellement, parce qu'elle était toujours sa femme ? Songeait-il au divorce pendant qu'il la caressait ? Louise ne pouvait y croire. Pas Victor. Il devait essayer de se convaincre dans une ultime tentative qu'il l'aimait encore et faisait tout pour sauver leur mariage. Pauvre Victor !

* * *

Mercredi, 17 août 2011, 15 h 30

Melchior avait boudé le canapé pour chercher un peu de fraîcheur au sol. Il dormait sur le dos, les pattes écartées dans une position de total abandon. Louise sourit devant tant de confiance. Ce chat trouvé dans la cour, qui se raidissait lorsqu'on posait la main sur lui au cours des premières années de cohabitation, avait fini par se laisser amadouer. Le sauvageon réclamait maintenant des caresses plusieurs fois par jour et Louise s'émerveillait d'avoir su gagner le chat noir, d'avoir su apaiser ses craintes. Il ne faisait aucun doute que l'animal avait été maltraité avant que Louise et Victor l'adoptent, mais heureusement, à force d'affection, ils étaient parvenus à le rassurer, à lui montrer qu'il existait de bons humains.

— Je crois qu'il vaut mieux que les chats restent avec toi, proposa Victor.

— Je le pense aussi.

C'était la seule phrase que Louise voulait entendre: elle n'aurait jamais accepté qu'il quitte la maison avec Freya ou Melchior. Il leur simplifiait les choses en acceptant de renoncer à eux.

Elle était un peu triste, bien sûr, mais c'était le prix à payer pour reprendre sa liberté. Elle dissimula la joie qu'elle sentait naître en elle: elle aurait les chats pour elle toute seule, ne serait plus jamais obligée d'accompagner Victor au cinéma ou au restaurant, ni de voir ses amis. Elle rentrerait de Carte Noire sans avoir à parler à personne. Elle pourrait même travailler de jour en début de semaine et passer les soirées du lundi et du mardi à la maison à caresser Freya et Melchior tout en regardant des films à la télé. Elle adorait la télévision, contrairement à Victor qui restait fidèle aux salles obscures des cinémas. Et elle n'aurait plus jamais à célébrer Noël en famille, à faire semblant de s'intéresser à ce que les parents de Victor lui racontaient. Elle s'y était habituée, avait mis au point une technique faite d'acquiescements, de hochements de tête, de froncements de sourcils pour montrer qu'elle suivait les conversations, mais comme elle serait soulagée d'échapper au punch de Noël! Aux guirlandes, aux cadeaux. Les maudits cadeaux. Elle aurait enfin la paix dans leur bel appartement. Non, dans son bel appartement.

— Je ne sais pas comment ça s'est passé, reprit Victor. Je n'ai pas… voulu que tout ça…

— N'en dis pas plus. Ça ne servirait à rien. Je suppose que nous nous sommes éloignés sans nous en apercevoir.

Louise répétait des phrases qu'elle avait entendues au restaurant lorsque sa collègue Martina s'était séparée de son mari.

— Oui. C'est la vie, le quotidien.

— Et parce que nous n'avons pas eu d'enfants. Je sais que ça t'a toujours manqué.

— Oui, mais ce n'est pas une raison pour partir avec une autre. Je me sens coupable, Louise, je te le jure!

— C'est inutile. Vraiment inutile. En autant que tu respectes nos ententes, bien sûr. Que tu n'aies pas envie de raconter nos secrets à Dorothée.

Victor sembla d'abord étonné, puis il écarquilla les yeux, saisissant l'allusion de Louise. Il secoua la tête, s'écria avec véhémence qu'il avait refoulé ses souvenirs au plus profond de sa mémoire et qu'ils y resteraient.

— De toute manière, cela fait tellement longtemps, approuva Louise. Est-ce que Dorothée a des enfants?

— Une fille de seize ans, Mélissa. Elle n'est pas bavarde, plutôt renfermée, mais on s'entend bien. Je vais l'apprivoiser…

— Tout le monde s'entend bien avec toi.

Victor poussa un long soupir. Comment Louise pouvait-elle se montrer aussi magnanime alors qu'il lui demandait le divorce?

— Je n'aime pas les drames, tu le sais. Tu as envie de vivre autre chose, c'est légitime. Tant que je n'ai pas à déménager, ça ira.

— Non, non. Dorothée et moi croyons qu'il vaut mieux nous installer dans un nouveau lieu qui ne soit pas chargé de nos vies passées respectives. Tout recommencer à zéro. Sais-tu qu'elle a un chien?

— Un chien?

Quelle bonne nouvelle! Jamais Victor ne changerait d'idée à propos de la garde des chats.

— De quelle race ?

— Un caniche royal. Il semble un peu jaloux de moi, mais il s'habituera à ma présence. Louise, j'aimerais qu'on soit amis. Je ne pars pas parce que j'ai quelque chose à te reprocher. C'est arrivé sans que je le veuille… Tu me crois ?

Louise hocha la tête avant de lui demander s'il pouvait tout de même venir l'aider pour les petits travaux domestiques dont il avait l'habitude de s'occuper.

— Évidemment ! Ça me fera plaisir et ça me permettra de revoir Melchior et Freya. Tu me dis quand je peux passer chercher le reste de mes affaires ? Je ne prends que le secrétaire, parce qu'il appartenait à mon grand-père.

— Tu connais mon horaire au restaurant. Viens quand ça t'arrange. Tu ne veux pas le fauteuil rouge ? C'est ta mère qui te l'avait offert.

Victor interrogea Louise du regard : vraiment, ça ne l'embêtait pas ? Non, pas du tout.

Ce fauteuil en velours côtelé bourgogne lui avait toujours déplu. Elle l'aurait conservé si les chats l'avaient apprécié, mais ils le boudaient également alors qu'ils adoraient le canapé indigo. Surtout Freya, comme si elle savait que la couleur du tissu mettait ses yeux bleus en valeur. Louise ne pouvait s'empêcher, chaque fois que la siamoise posait sur elle son regard aimant, de lui répéter qu'elle était la plus belle des chattes du quartier. Et même de la ville.

— Bon, je l'emporterai aussi. Tu me facilites beaucoup les choses, Louise. Tu seras toujours importante pour moi.

— Je le sais. Et toi, tu sais que je n'aime pas trop les adieux…

Victor se dirigea vers la porte avec ses deux valises, faillit se retourner pour saluer Louise une dernière fois, se retint de peur d'être trop ému. Il avait redouté le moment où il devrait lui annoncer leur séparation, incapable de savoir, même s'il avait vécu avec Louise durant plus de vingt ans, comment elle réagirait. Quand il s'en était ouvert à Dorothée, elle n'avait pu cacher sa stupéfaction: comment pouvait-il ne pas prévoir quelle serait l'attitude de Louise?

— Elle est spéciale. Elle a toujours été différente.

— Différente de quoi? De qui?

— C'est difficile à expliquer... Différente de toi, en tout cas. Toi, tu es transparente, spontanée, limpide, rafraîchissante. Je ne me rendais pas compte à quel point vivre avec Louise était lourd.

— Tu dis ça parce que tu m'aimes, mais tu es resté longtemps avec elle.

— Je ne pouvais pas imaginer que je rencontrerais une femme comme toi! Je sais pertinemment que je ne suis pas un bel homme, que je ne suis pas le genre à...

— Tais-toi! l'avait coupé Dorothée. Le charme vaut bien plus que la beauté!

La porte se referma derrière Victor. Louise écouta ses pas décroître dans l'escalier et se dit qu'elle achèterait peut-être du champagne pour célébrer sa liberté retrouvée. Et du crabe pour Melchior et Freya.

ÉPISODE 2

Mercredi, 3 octobre 2012, 18 h 30

Louise s'efforçait de répondre à Dorothée, mais elle se demandait vraiment pourquoi celle-ci était encore revenue chez Carte Noire. Tous les deux ou trois mois, depuis bientôt un an, elle débarquait au resto avec ce sourire niais si exaspérant. Pourquoi tenait-elle autant à lui parler ? Était-ce une sorte de déformation professionnelle ? Se croyait-elle investie d'une mission en tant que travailleuse sociale ? Louise doutait des compétences de Dorothée Fortier, qui manquait cruellement de lucidité : comment pouvait-elle prétendre qu'elles avaient plusieurs points communs sous prétexte qu'elles avaient toutes deux été sensibles au charme de Victor ? Le charme ? Quel charme ? avait eu envie de dire Louise, mais elle s'était tue, évidemment, se contentant de sourire comme chaque fois qu'on proférait une bêtise en sa présence.

Avec Dorothée, elle souriait beaucoup. Et cela l'ennuyait de devoir lui sourire à répétition, de perdre son temps avec elle au lieu de rentrer directement à l'appartement pour retrouver les chats. Dorothée, hélas, ne s'apercevait pas qu'elle l'importunait. Devait-elle cesser de lui sourire ? Elle était sûrement responsable du retour de la nouvelle épouse de Victor, ayant été trop courtoise avec elle, mais quelle attitude adopter ? Elle voulait juste que les choses se passent bien, que Dorothée et Victor soient heureux ensemble et la laissent en paix.

— On pourrait sortir tous les trois, un de ces soirs, suggérait maintenant Dorothée. Ou souper à la maison avec ma fille Mélissa.

— Souper ?

Quelle idée saugrenue !

Devait-elle sourire ou non ? Qu'il était malaisé de savoir comment réagir avec cette oie ! C'était plus difficile d'avoir affaire à des sots qu'à des gens intelligents. Les imbéciles déstabilisaient Louise.

— Plus tard, peut-être. De toute façon, Victor est toujours très pris au début de l'automne.

— Tu as raison ! Est-il aussi stressé chaque année ?

Oui, il était toujours aussi agaçant les premières semaines de l'année scolaire. Il s'inquiétait de plaire à ses nouveaux élèves comme s'il était important de gagner leur amitié pour leur enseigner. Est-ce qu'elle souhaitait que les clients du restaurant éprouvent de l'affection pour elle ? Non. Il suffisait qu'ils la trouvent efficace.

Elle ne comprenait pas l'obsession des humains à vouloir plaire à leurs semblables. Elle s'en passait très bien. Dorothée aurait pu remporter une médaille d'or dans cette course à la séduction. Voilà maintenant qu'elle poussait vers elle un petit paquet enrubanné. Un cadeau ? Mais pourquoi ?

— C'est une broutille. On a pensé à toi, à Vancouver. En fait, ce n'est pas pour toi, mais pour les chats.

Pour la première fois depuis le début de leur entretien, Louise sourit avec sincérité en déballant le paquet. Il contenait des balles rouges en laine épaisse.

— Le vendeur nous a expliqué que les chats voient mieux le rouge qu'une autre couleur. Je ne sais pas si c'est vrai. Tu m'en reparleras.

Lui en reparler ? C'était le prix à payer pour avoir accepté ce cadeau ? Qu'avait-elle fait pour mériter ça ? Elle joua avec une des balles pour éviter de répondre et faillit pousser un soupir de soulagement lorsque la sonnerie du cellulaire de Dorothée brisa le silence.

— Je ne réponds jamais quand je suis avec une amie…

Une amie ? Louise se retint de protester tout en cherchant Guido des yeux. Si seulement le chef pouvait venir vers elles pour faire diversion, lui parler du banquet de vendredi par exemple. Il y avait encore des tas de détails à régler.

— Mais c'est sûrement Victor, poursuivait Dorothée, et je lui…

— De toute manière, je dois rejoindre le chef. Nous sommes débordés, aujourd'hui.

Dorothée répondit à Victor, s'interrompit aussitôt pour dire à Louise qu'il la saluait, puis elle colla sa bouche contre l'appareil comme si elle voulait l'embrasser. Louise se replia vers la cuisine en espérant que Dorothée aurait disparu lorsqu'elle reviendrait. Mais celle-ci était toujours là, quelques minutes plus tard, et lui promettait de revenir avec sa fille pour la lui présenter.

— Tu verras, Mélissa est un peu spéciale, mais très gentille. J'aimerais seulement qu'elle sorte un peu de sa coquille, qu'elle ait des amies. Elle est trop réservée.

Tiens donc ! Tout le contraire de sa mère ?

— Je suis sûre qu'elle rêve en secret des garçons, continuait Dorothée. Même si elle prétend ne s'intéresser qu'à ses études. Elle se passionne pour les sciences, la biologie, les bêtes, les insectes. Peut-être deviendra-t-elle une grande entomologiste ?

Moi, je suis plutôt d'un tempérament artiste. J'écris un peu, quand j'ai le temps. La création me comble…

Louise se demanda durant quelques secondes si Dorothée quitterait un jour le restaurant. Il lui sembla qu'elle ne parviendrait à avoir la paix qu'en se débarrassant de Dorothée. Un petit coup derrière la tête, et hop, tout serait fini!

Le chef la tira de ses réflexions en lui soumettant les derniers changements apportés au menu du banquet. Elle appréciait le jeune Guido, sans comprendre pourquoi il avait choisi de s'exiler, de quitter Rome, une ville où il y avait un règlement pour protéger les chats errants, des *mama gatti* qui s'inscrivaient au registre de l'état pour les nourrir. Elle avait tant aimé la Ville éternelle! Guido admettait que la ville natale de sa mère était magnifique, mais il avait été élevé à Montréal jusqu'à ses seize ans et il adorait l'hiver, le vrai, avec des mètres de neige, des tempêtes qui arrêtent le temps. Elle lui disait qu'il était fou. Mais attention, un fou très doué en cuisine. Elle était ravie que Xavier Vidal, le propriétaire du restaurant, l'ait engagé. En tant que gérante des lieux, elle n'aurait pu rêver de meilleur complice que Guido, efficace et inventif. Ils se complétaient parfaitement et le chiffre d'affaires de Carte Noire réjouissait Xavier, qui leur laissait toute latitude.

Le propriétaire avait même offert à Louise de s'associer à lui, au début de l'année, pour être certain que ses concurrents ne lui offriraient pas un pont d'or pour changer d'emploi. Elle avait du style, d'après lui, une valeur inestimable, rare. Louise savait que sa chevelure rousse, ses grands yeux verts lui valaient certains regards, mais elle ignorait ce que Xavier Vidal entendait au juste par «style». Il n'aurait eu aucun mal à définir sa pensée; Louise était belle, mais résolument discrète, dans ses propos – il ne savait quasiment rien de sa vie privée –, dans sa tenue, toujours impeccable, toujours en noir avec une fleur de soie blanche. Elle plaisait aux hommes qui fantasmaient sur les femmes réservées, persuadés qu'elles cachaient des trésors de sensualité qui ne demandaient qu'à être révélés. Mais comme aucun client jusqu'à ce jour n'avait pu se vanter d'avoir séduit celle qui régnait sur le restaurant, la clientèle féminine ne voyait pas en Louise une compétitrice. Elle était plutôt l'amie qui avait fait changer pour elles l'éclairage du Carte Noire, autrefois trop cru, si peu flatteur, ou alors la femme qui recueillait leurs confidences, lorsqu'elles mangeaient seules au long comptoir, et qui ne donnait jamais de conseil.

À quoi bon? aurait répondu Louise. Les conseils n'intéressent personne. Ce que voulaient les gens, c'était qu'on les écoute. Les hommes comme les femmes. Au lieu de s'étendre sur le divan d'un psy, ils s'installaient au bar, sous les grandes ardoises noires où Louise inscrivait chaque jour le menu, choisissaient un Laphroaig ou un verre de Boizel, ce délicat champagne rosé d'Épernay, en racontant leurs soucis ou leurs espoirs. Le restaurant pouvait être bondé, Louise trouvait un moment pour réconforter une cliente, lui donner l'impression qu'elle était importante.

Xavier Vidal s'étonnait qu'une femme si capable d'empathie, soit si laconique, si secrète sur sa propre existence. Mais loin de lui l'idée de s'en plaindre: il détestait les bavardes, les femmes sentimentales. Louise n'avait même jamais évoqué son divorce devant lui. C'était Guido qui le lui avait appris. Xavier Vidal n'avait noté aucun changement dans le comportement de Louise. Un tel professionnalisme le confortait dans son flair: il avait eu raison de lui proposer une association. Et il écouterait ses conseils; il fallait aussi intéresser davantage Guido Botterini aux profits.

— C'est un gros banquet, fit remarquer Guido. C'est le plus important qu'on a eu depuis qu'on offre le service de traiteur. Je te jure toutefois que le restaurant n'en souffrira pas. Tout sera prêt avant le service pour le banquet.

— Je ne suis pas inquiète. On a quasiment doublé la brigade.

— Ce sera parfait, comme toujours avec toi. Qui est la belle brune avec qui tu parlais ?

— L'épouse de mon ex. Un vrai pot de colle.

— Ça ne m'ennuierait pas qu'elle s'attache à moi.

— Retourne à tes fourneaux ! Es-tu enfin satisfait de la texture de ton crumble aux artichauts ? Ce que tu m'as fait goûter ce matin était délicieux !

— Parce que tu as un faible pour les artichauts… Il manque encore de justesse.

Louise faillit protester, mais si Guido voulait retravailler l'entrée qui serait servie aux invités de Roland et Judith Ellis, elle s'inclinerait même si le temps était compté. Les Ellis figuraient parmi leurs meilleurs clients. Ils dépensaient une fortune pour offrir, à l'occasion de leurs vingt ans de mariage, ce banquet à leurs quarante invités. Ceux-ci boiraient à leur arrivée du Sir Winston Churchill et la Cuvée Alexandra. Ils auraient droit à un cappuccino de pétoncles, des millefeuilles de crabe des neiges, un carpaccio de dorade, des cailles confites au miel d'acacia à l'apéro, puis ils dégusteraient un soufflé au homard, des tournedos Rossini – parce que Judith chantait à l'opéra lorsque Roland l'avait rencontrée. Ils avaient insisté à tour de rôle pour qu'on ne lésine pas sur les lamelles de truffe blanche – il y aurait un entremets au fromage de chèvre, un panna cotta au chocolat, un napoléon aux fruits de la passion et un immense gâteau aux amandes et à la vanille, le parfum préféré de Judith. Guido avait réussi à varier les textures sans jamais s'éloigner de ce goût de vanille auquel tenait tant Mme Ellis. Elle avait été enchantée du résultat lors des tests effectués pour le banquet.

— Vous êtes des anges, avait-elle dit à Louise et à Guido.

— Et vous, Mme Ellis, vous êtes notre bonne fée, avait répondu Louise.

— Combien de fois devrai-je vous le répéter ? Appelez-moi Judith, nous sommes du même âge, après tout.

Louise avait secoué la tête ; Judith était plus jeune qu'elle.

— J'ai eu cinquante ans cette année.

Cette précision avait doublement étonné Judith Ellis : Louise semblait réellement plus jeune. Pourquoi, dans ce cas, avait-elle avoué avoir passé ce cap fatidique ? Et quel était son secret ? Elle l'avait dévisagée sans déceler de traces de chirurgie. Soit elle avait eu recours à un magicien, et Judith finirait par obtenir le nom du chirurgien, soit elle avait une hérédité exceptionnelle.

— La bonne fée vous dit que ce banquet sera une fête que personne n'oubliera ! Je vous répète d'être généreux avec les truffes, Guido.

— Elles proviennent de mon pays, avait-il précisé. C'est un honneur d'en servir à vos convives.

Après le départ de Judith Ellis, Louise avait questionné Guido. Où donc poussaient les truffes blanches, en Italie ? Guido avait expliqué qu'il accompagnait son grand-père, lorsqu'il était enfant, dans la région du Piémont où ils cherchaient ensemble les précieux tubercules. La truffe faisait partie des meilleurs souvenirs qu'il conservait de son aïeul.

— Tu sais combien j'en ai commandé ?

— Oui, c'est moi qui règle les factures. Roland Ellis est millionnaire, il en profite. Et nous aussi.

— Et d'autres femmes, probablement.

— Ça ne nous concerne pas.

— On ne peut pas ne pas voir comment il dévisageait Béatrice Dufour.

— Tout le monde la regarde! Cette actrice est époustouflante.

— Il te regarde aussi, ne le nie pas! Il essaie toujours de te retenir à la table quand sa femme s'éclipse vers les toilettes. Je ne sais pas ce qu'il te promet...

— C'est seulement un séducteur comme il y en a tant.

— Mais Mme Ellis aime son mari!

— Tu es trop romantique, mon pauvre Guido!

* * *

Mercredi, 19 décembre 2012, 21 h

Bianca Esposito, de son vrai nom Bianca Bédard, nue devant le miroir de sa chambre, détaillait ses atouts: de longues jambes, une poitrine parfaite, ni trop imposante ni trop chiche, absolument ferme, des cheveux blonds qui descendaient jusqu'au milieu du dos dans lesquels les hommes aimaient enfoncer leur visage, leurs doigts. Elle aurait préféré avoir les fesses rondes des Africaines, mais au moins elle n'avait pas les fesses plates d'un garçon. Les siennes invitaient à la caresse et s'agitaient dans un balancement lascif lorsqu'elle portait sa jupe à volants.

Elle caressa la soie carmin de sa nouvelle robe, la plaça devant elle, se sourit: avec ses souliers noirs en cuir verni, elle serait éblouissante. Roland ne regretterait pas de lui avoir offert cette tenue, il serait heureux de toucher ce tissu d'une exquise douceur. Elle savait déjà qu'il lui ferait enlever sa robe dès qu'il la retrouverait. Il fallait néanmoins qu'il voie à quel point elle lui allait bien. Il avait acheté le vêtement selon ses directives et le lui avait fait livrer, mais il devait l'admirer lorsqu'elle le porterait, imaginer les regards qu'on leur jetterait lorsqu'ils sortiraient ensemble et qu'elle serait drapée dans tout ce rouge si sensuel. Les hommes l'envieraient d'avoir une telle femme à ses côtés. Et les femmes sauraient qu'elles n'avaient plus aucune chance avec Roland Ellis ; il lui appartenait dorénavant. Enfin presque : il était encore marié. Mais plus pour longtemps.

Bianca avait vu son épouse à l'inauguration d'un restaurant dans le Vieux-Montréal. Elle était si fade, si conventionnelle ! Roland l'admettait d'ailleurs bien volontiers, il s'ennuyait avec Judith et promettait de la quitter dès qu'il aurait réglé quelques affaires. Du genre de celles qui pourraient lui coûter cher s'il se séparait trop vite, sur un coup de tête. Il n'avait pas envie d'hypothéquer son avenir. Leur avenir. Et il ne fallait pas oublier son fils.

Bianca le comprenait-elle ? Bien sûr que si ! Il n'était pas question qu'il soit lessivé par un divorce mal géré. Quant au fils, elle le charmerait. Le plus urgent, c'était de se débarrasser de l'épouse. Elle roucoulerait des mots d'amour en italien à l'oreille de Roland. Il adorait quand elle parlait la langue maternelle de sa mère. Il jurait qu'ils iraient à Venise ensemble et feraient l'amour au Danieli ou au Gritti. Elle ne méritait rien de moins qu'un palace !

Elle avait hâte de découvrir l'Italie, la vraie, pas celle des quartiers de Montréal. Déguster sur place un vin élaboré en Toscane serait autrement plus exotique que boire une bouteille achetée à la SAQ de Saint-Léonard (bien que le choix, elle devait l'avouer, était impressionnant). Elle avait hâte de voyager, malgré les radotages de Roland qui lui donnerait un cours d'histoire partout où ils s'arrêteraient. Mais il y a un prix à payer pour tout et Bianca l'avait appris très jeune.

Elle avait hérité des traits fins de sa mère, de sa bouche pleine, de ses fossettes, mais n'avait pas, fort heureusement, son caractère si effacé, si peu exigeant. Elle ne ressemblait pas non plus à son père qui manquait tellement d'ambition, qui n'avait jamais cherché à améliorer leur sort, qui ne manifestait aucune envie de quitter son petit café où traînaient toujours les mêmes habitués, alors qu'il aurait pu saisir tant d'occasions.

Bianca, elle, savait déjà à dix ans qu'elle aimait le luxe et qu'elle voulait une maison pareille à celles qu'elle voyait lorsqu'elle empruntait l'autobus qui longeait le Chemin de la Côte-Sainte-Catherine, qui montait vers l'école Vincent-d'Indy. Elle n'aimait pas spécialement la musique classique, mais elle était certaine qu'un piano à queue trônerait un jour dans son salon. Elle savait qu'elle userait de tous ses charmes pour réaliser ses rêves et elle était effectivement devenue mannequin. L'ennui, c'est que sa carrière n'avait pas vraiment pris son envol; elle n'avait fait des photos et des défilés qu'au Canada. Et maintenant, elle était trop âgée pour s'illusionner; son *book* serait rapidement oublié. Il fallait qu'elle s'établisse une fois pour toutes. Avec Roland Ellis. Ou quelqu'un d'aussi riche.

Elle se demandait à combien était évaluée sa fortune. Il touchait le très confortable salaire d'un juge, mais c'était surtout l'argent de famille qui en faisait une proie très intéressante. Il s'était vanté d'avoir fait une bonne affaire en achetant une sculpture dans un encan pour 17 000$ et elle l'avait vu, la semaine suivante, signer un chèque de 10 000$ dans une galerie de la rue Crescent pour l'acquisition d'un tableau représentant, si on se fiait au titre de l'œuvre, un bateau. Elle n'avait reconnu aucun navire dans ce réseau de lignes, mais avait félicité chaleureusement Roland de cet achat, après avoir avoué qu'elle ne connaissait l'art que par les livres, qu'elle n'avait pas eu la chance de visiter des musées ailleurs dans le monde.

Puis elle lui avait expliqué qu'elle avait créé sa collection de bijoux parce qu'elle avait besoin de s'exprimer en tant qu'artiste. Elle regrettait de devoir se limiter, quand elle voyageait pour son métier de mannequin, à des studios de photo et des chambres d'hôtel. Les agences, en multipliant ses heures de boulot, ne lui laissaient jamais le loisir de visiter la ville où elle atterrissait ni les musées. Elle espérait qu'il pourrait l'initier à ce monde artistique qui l'impressionnait et qui l'inspirerait sûrement. Il lui avait promis d'être un excellent mentor.

En fait, elle espérait surtout qu'il investirait dans sa nouvelle collection de bijoux. La première, l'année précédente, avait assez bien démarré, mais les ventes avaient ensuite stagné. Avec la prochaine collection, elle devait étonner, surprendre, époustoufler les acheteurs, sinon son entreprise ne serait plus qu'un souvenir. La banque avait refusé un prêt supplémentaire. Il fallait que Roland Ellis l'aide un peu… Il était millionnaire, en quoi cela pourrait-il le gêner de financer ses créations ?

Sinon, où trouverait-elle l'argent ? Elle devrait continuer à aller dans les tournois de golf ou les soupers caritatifs à deux mille dollars le couvert dans l'espoir de rencontrer un autre poisson ?

* * *

Mercredi, 30 janvier 2013, 8 h 10

Est-ce que Louise avait bien lu la lettre de son propriétaire ? André Lalancette avait-il vraiment l'intention de vendre l'immeuble à des promoteurs qui le démoliraient certainement pour bâtir un immeuble, maintenant qu'on savait qu'un hôpital serait construit dans l'arrondissement ? C'était inadmissible ! Lalancette leur avait dit, lorsque Victor avait entrepris les travaux dans l'appartement, qu'ils pourraient le louer durant des années. Son fils le remplacerait lorsque lui-même prendrait sa retraite et il serait heureux d'avoir des locataires comme eux, solvables, propres et discrets. Il avait dit que rien ne changerait jamais. Il avait pourtant modifié sa façon d'envisager l'avenir. C'était inconcevable. Elle ne pouvait pas laisser faire ça !

Louise tournait en rond dans l'appartement, se butait littéralement à ces murs qu'elle craignait de perdre, se penchant à la fenêtre en regardant le jardin qu'elle aimait tant, admirant les moulures au plafond, l'armoire murale où elle avait disposé sa collection de dés à coudre, les portes à l'anglaise et, par-dessus tout, l'étrange construction que Victor avait réalisée tout au long des pièces : Louise adorait voir les chats sauter d'un point à un autre sur cette espèce d'escalier qui longeait le salon et la salle à dîner. C'était si amusant de voir Melchior et Freya se croiser sans se toucher avant d'atterrir sur ses épaules. Elle aimait sentir le poids des chats dans son cou. Et il était nécessaire qu'ils fassent de l'exercice, même si elle surveillait attentivement leur alimentation. Ils allaient dans le jardin clos en été, mais l'été, au Québec, durait si peu de temps… Contrairement à Guido, Louise, à l'instar de ses chats, détestait l'hiver.

Quitter cet appartement de rêve ? Ce grand six pièces qu'elle avait décoré avec tant de soin ? Idéalement situé dans un quartier calme où elle pouvait se reposer après son travail ? À proximité d'un arrêt de bus qui lui évitait de conduire dans les embouteillages montréalais ? Jamais !

Elle devait s'informer du marché de l'immobilier. Est-ce que son immeuble pouvait se vendre rapidement ? M. Boily, un courtier qui fréquentait le restaurant depuis des années pourrait la renseigner. Non. Quelle idiote! Elle ne savait pas comment les choses allaient tourner. Personne ne devait savoir qu'elle s'intéressait subitement aux fluctuations du marché.

Elle se ressaisit. Elle avait perdu suffisamment de temps à pester contre cette nouvelle, elle aurait déjà dû être au restaurant. Toutes les tables étaient réservées pour la soirée, le succès de Carte Noire ne se démentait pas, on venait de partout au Canada, et même de New York, pour découvrir la cuisine de Guido Botterini. Caresser les chats n'avait pas réussi à la calmer. Elle s'inquiétait pour eux; ils étaient trop âgés pour s'habituer à un nouvel environnement. C'était tout simplement inimaginable de partir d'ici.

Devrait-elle tuer André Lalancette? Cela n'éliminerait pas la menace de la vente de l'immeuble, mais son fils aurait des tas de choses à régler qui retarderaient cette vente. Quelques mois qui permettraient à Louise de trouver la solution parfaite. Elle n'avait pas hésité, avec son odieuse voisine ni avec le proprio de la chatterie. Ce n'était pas aujourd'hui qu'elle commencerait à avoir des scrupules.

Lalancette n'aurait pas dû lui mentir.

* * *

ÉPISODE 3

Jeudi, 14 février 2013, 18 h 20

La tempête avait forcé quelques clients à annuler leur souper chez Carte Noire, mais la plupart d'entre eux avaient pris des taxis et même emprunté les transports en commun ou marché pour se rendre au restaurant. Ils ne resteraient quand même pas à la maison à cause de la neige. Renoncer à la sublime cuisine de Guido Botterini un soir de Saint-Valentin ? Non, bien sûr que non ! Et puis se rendre à pied chez Carte Noire leur donnerait bonne conscience. Ils mériteraient encore davantage l'ineffable pastilla d'écrevisses ou la robuste côte de veau et sa duxelles de champignons, la déclinaison de pommes et la glace au calvados. La salle était déjà pleine aux trois quarts.

— Ça me surprend, dit Guido à Louise. Il n'y aura pas de perte, je suis content.

— Ils viendraient à genoux pour déguster ton risotto ! Et c'est tout de même la Saint-Valentin. Personnellement, je trouve cette fête ridicule, mais certains clients voudront célébrer au champagne et au Chambolle-Musigny. Je ne m'en plaindrai pas.

— J'ai vu les Ellis sur la liste des réservations. Ils sont arrivés ?

— Pas encore. Mais ils viendront, sinon Judith nous aurait prévenus. J'espère qu'ils ont fait un bon voyage.

— Ils allaient skier dans les Alpes, non ?

— À Megève. Comme les Clarkson et les Vrenken.

— Je n'ai jamais skié, dit Guido.

— Moi non plus.

L'idée de devoir partager une cabine pour monter les pentes, de devoir discuter avec des inconnus ennuyait Louise. Dès qu'elle sortait du restaurant, elle n'aspirait qu'à une seule chose, la solitude. Elle pouvait écouter les clients sans jamais montrer de signe de lassitude, parce que cette écoute faisait tout simplement partie de son travail. Cette faculté de s'intéresser à ce qu'on lui racontait sans jamais sembler juger les gens, ou pire, s'ennuyer, lui avait valu très jeune des pourboires généreux et lui avait permis d'obtenir au fil des ans d'excellents emplois dans la restauration. Mais dès qu'elle poussait la porte de Carte Noire, elle n'adressait plus la parole à personne, ne conversant qu'avec Freya et Melchior. Avec le recul, elle s'étonnait d'avoir pu vivre si longtemps avec Victor… Alors, se retrouver dans un chalet en pleine montagne, peut-être prisonnière des lieux si une avalanche paralysait les moyens de transport, ne ressemblait pas du tout à sa définition du bonheur.

Elle n'avait que très rarement pris l'avion, pour Rome, Paris, Venise et surtout Amsterdam qu'elle avait adoré, car elle avait vu des dizaines de chats aux fenêtres des maisons. Avec Victor, elle s'était rendue à Boston et à New York, mais elle n'aimait pas confier les chats à la cousine de Victor, même si celle-ci, elle devait l'admettre, s'en occupait bien. Elle n'éprouvait pas le besoin de s'éloigner de chez elle pour parcourir le monde quand les chats et la quiétude de leur foyer la comblaient parfaitement.

Louise courait quotidiennement dix kilomètres sur le mont Royal pour se garder en forme, mais n'aurait jamais pratiqué un sport d'équipe. Quand elle était adolescente, ces jeux s'apparentaient aux pires de ses cauchemars: sautiller, courir, se déplacer en groupe, quelle horreur! Comment pouvait-on avoir l'esprit aussi grégaire? Elle comprenait que les animaux vivent en communauté pour des questions de sécurité, de survie, mais se retrouver ensemble pour le plaisir?

Joanie, la plus jeune des serveuses, vint prévenir Louise que les Ellis arrivaient.

— Je n'ai jamais vu un aussi beau manteau de fourrure! dit la jeune femme.

Louise acquiesça, car elle savait que c'était une imitation. Judith n'aurait pas porté de fourrure naturelle, même recyclée.

Elle s'avança rapidement vers le couple, comprit tout de suite que le voyage ne s'était pas très bien déroulé. Judith s'était assise en face de Roland, alors qu'elle s'installait d'habitude à côté de lui. Son teint brouillé et ses yeux cernés malgré le savant maquillage trahissaient de mauvaises nuits. Elle réussit à sourire à Louise.

— Il n'y a que la cuisine de Guido qui puisse me faire oublier le décalage horaire.

— Avez-vous envie de quelque chose en particulier?

— Des langoustines, du poisson. Léger, je n'ai pas faim.

Le juge Roland Ellis parcourait le menu pour se donner une contenance. Il regrettait déjà d'avoir accepté de suivre Judith au restaurant. La soirée serait pénible, personne n'en doutait. Mais rester à la maison un soir de Saint-Valentin n'aurait guère été mieux. Il avait acheté un bracelet chez Tiffany, mais se demandait maintenant à quel moment il conviendrait de le lui offrir. S'il devait le lui offrir. Si elle ne le lui lancerait pas à la figure. Il n'avait vraiment pas envie d'attirer l'attention. Une scène par jour lui suffisait. De quoi allaient-ils bien pouvoir s'entretenir toute la soirée ? Il parcourut la salle des yeux dans l'espoir de reconnaître des habitués, de les inviter éventuellement à s'asseoir à leur table, mais il n'y avait que les Voyer qui achevaient leur repas et Judith ne les aimait pas. Lui non plus d'ailleurs, mais il les aurait volontiers supportés pour éviter tout dérapage dans les prochaines heures.

Il maudit son imprudence : il n'aurait jamais dû inviter Bianca à Megève. Il avait suffi qu'ils se croisent une seule fois en présence de Judith pour que celle-ci devine tout. Un clin d'œil à l'adresse de Bianca et les vacances étaient terminées ! Impossible de rejoindre Bianca à son hôtel sans que Judith s'en aperçoive. Il avait été condamné à skier avec sa femme durant six jours. À déjeuner, dîner et souper avec elle. À l'entendre lui répéter qu'elle n'était plus la petite dinde qu'il avait épousée et qu'elle n'accepterait pas qu'il la trompe encore une fois. En clair, Roland devait oublier Bianca ou divorcer. Aucune de ces solutions ne le satisfaisait. Il ne pouvait renoncer à ces cuisses invitantes, aux seins voluptueux, à la chevelure enveloppante de la belle blonde, mais il ne songeait pas à se séparer de Judith. C'était beaucoup trop compliqué et trop cher. Et, par-dessus tout, s'il divorçait, Bianca voudrait qu'il l'épouse.

Il ne s'imaginait absolument pas partager le quotidien d'une femme qui ne parlait que de robes et de bijoux. De sa maudite collection de bijoux. Des bijoux qu'il trouvait un peu trop clinquants pour être distingués. Il n'en aurait jamais offert à son épouse. D'après Bianca, la clientèle de la collection Star avait la jeune trentaine et était avide d'originalité et d'une certaine outrance. Les bijoux qu'elle avait créés plaisaient aux jeunes femmes, mais elle devait approfondir ses recherches, travailler avec des techniciens au fait des dernières nouveautés en matière de pierres, de matériaux synthétiques. C'était l'affaire de quelques mois, soutenait-elle.

Il lui avait signé un chèque, mais n'avait pas pu la féliciter lorsqu'elle lui avait montré les premiers prototypes de la prochaine collection. Des boucles d'oreilles où aurait pu se balancer un perroquet! Des colliers qui entraîneraient celles qui les porteraient au fond d'une piscine si elles se baignaient! Des bracelets aussi lourds que des menottes. Bizarrement, ces bijoux convenaient à Bianca. Parce qu'elle était mannequin et pouvait tout porter, mais imaginer que les femmes l'imiteraient paraissait très hypothétique à Roland. Il se demandait déjà comment il lui expliquerait qu'il ne signerait pas d'autres chèques… Investir, oui, mais dans ce qui peut être rentable. Il avait retenu les leçons de son père.

— Tu m'écoutes? reprit Judith après avoir bu trop rapidement son verre de sancerre. Je n'ai pas du tout profité de mes vacances.

— Je me suis excusé, que veux-tu de plus? Quand bien même je te répéterais dix fois par jour que je regrette, qu'est-ce que ça changerait?

— Rien. Mais je veux la certitude que tu ne vois plus cette… fausse blonde.

Roland eut la sagesse de ne pas contredire sa femme, même s'il savait que Bianca était une vraie blonde. Contrairement à Judith qui s'était toujours teint les cheveux. Que pouvait-il faire d'autre que lui mentir? Il jura qu'il n'avait pas revu Bianca depuis qu'il lui avait envoyé un courriel pour rompre.

— Par courriel, persifla Judith. Quelle élégance!

— Que voulais-tu que je fasse? Que je la rencontre pour lui expliquer que je ne veux pas te perdre?

Judith haussa les épaules; cette conversation ne mènerait à rien. Une lourde lassitude l'habitait depuis qu'elle avait compris que Roland ne changerait jamais. Il disait peut-être la vérité en affirmant qu'il ne voulait pas la quitter, mais il n'avait pas l'intention de changer. Elle avait cru qu'avec l'âge il se calmerait, qu'elle n'aurait plus à fermer les yeux sur ses écarts. Il n'en était rien. Elle avait été vraiment naïve ; les gens ne changent pas. Elle était en partie responsable de la faillite de leur mariage. Elle aurait dû réagir à la première incartade de Roland, le menacer au lieu de lui pardonner.

Elle se retrouvait à quarante-cinq ans avec un mari qui avait eu le culot d'installer sa maîtresse dans un hôtel voisin du leur à Megève. Où ils rencontraient chaque jour des connaissances. Qui avait deviné qui était Bianca ? Qui la plaignait secrètement d'avoir un époux cavaleur ? Avait-elle réellement décelé une lueur de pitié dans les yeux de Marie-Jeanne Vrenken ? Elle avait eu l'impression durant tout leur séjour à la montagne que le mot *trompée* était gravé en lettres rouges sur son front. Roland avait eu beau lui répéter qu'il n'avait vu Bianca qu'une seule petite fois, elle n'en croyait rien. Et comme les Vrenken étaient logés au même hôtel que la pute blonde, il était aisé d'imaginer qu'ils la décriraient avec délectation à leurs amis, avides de croustillants potins.

Que devait-elle faire ?

Elle piqua d'un coup sec la langoustine, nota l'arôme de verveine, la texture du feuilleté en fermant les yeux. Guido Botterini était tellement doué que cette création si nuancée permit à Judith d'oublier son dépit durant quelques secondes. En ouvrant les paupières, elle regarda les couples autour d'elle. Plusieurs se tenaient la main, un homme caressait la joue de sa compagne, une blonde déposait un paquet dans l'assiette de son amoureux. Roland et elle leur avaient déjà ressemblé. Et maintenant, ils étaient comme tous ces autres ménages, en fin de course, las l'un de l'autre, se forçant pour trouver des sujets de conversation. Ils n'étaient pas les seuls dans ce cas précis, ce soir-là. Il y avait de longs silences à la table voisine de la leur et à celles près de la fenêtre. Était-ce le lot de tout un chacun, que cette usure des sentiments? Était-elle trop exigeante pour leur couple? Déraisonnable?

Elle coupa délicatement une autre langoustine, se souvint de la première fois qu'elle en avait mangé, à Paris, au Carré des Feuillants. Roland lui avait fait découvrir la Ville lumière avec enthousiasme, se réjouissant à chacun de ses étonnements. Il croyait qu'avec tous ces concerts qui l'avaient menée si souvent en Europe, elle avait elle-même ses bistrots préférés à Paris, Stockholm ou Londres, mais elle lui avait expliqué qu'elle n'aimait sortir ni seule ni en groupe, qu'elle préférait souper dans sa chambre d'hôtel.

C'était ce manque d'esprit grégaire qui avait joué contre elle lorsque Roland lui avait suggéré d'abandonner les tournées. Si elle avait eu davantage l'esprit d'équipe, elle n'aurait jamais accepté de cesser de travailler, car elle aimait chanter. Elle n'aurait jamais été célèbre, elle le savait parfaitement, mais elle aurait très bien pu se contenter des seconds, des troisièmes rôles. Elle s'était laissée doucement glisser dans la peau d'une femme au foyer et avait renoncé à la musique pour s'occuper de Roland et de son fils Vincent. Vincent qui quitterait bientôt la maison.

Judith ne regretterait pas cet enfant suffisant et égoïste, et encore moins les scènes qui l'opposaient à son père, mais elle supportait mal l'idée de se retrouver seule, absolument seule dans cette vaste demeure qu'elle n'avait jamais aimée. Il valait peut-être mieux garder Roland auprès d'elle. Ou non?

Elle aurait aimé avoir une amie pour la conseiller, une vraie confidente. Mais Marie-Louise, qui avait fait toutes ses études avec elle, était repartie vivre en Argentine. Et les artistes avec qui elle avait partagé la vie de tournée étaient éparpillés aux quatre coins du monde. Parce qu'ils n'avaient pas fait la bêtise, eux, d'abandonner leur art. Sans ses chevaux, elle aurait été absolument, résolument, désespérément seule.

* * *

Jeudi, 14 février 2013, 20 h 30

Louise se tenait tout près de la porte battante de la cuisine et observait la salle avec satisfaction. Le service s'effectuait avec fluidité malgré les inévitables retards causés par la tempête qui, heureusement, ne diminuait pas d'intensité. Il fallait que la neige continue à tomber jusqu'au matin pour favoriser les plans de Louise.

Elle avait mimé la surprise lorsqu'elle avait vu André Lalancette se présenter chez Carte Noire, alors que c'était elle qui lui avait fait parvenir un chèque-cadeau irrésistible: un souper de Saint-Valentin d'une valeur de 300 $. Elle savait pertinemment qu'il viendrait seul, qu'il ne voudrait pas partager la bouteille de vin qui accompagnerait son repas. Il était tellement radin! Il ne s'était pas opposé aux travaux que réalisait Victor pour rénover l'appartement, mais il n'avait jamais offert d'en payer une partie. Et lorsqu'il avait été question de repeindre les corridors communs qui en avaient bien besoin, Lalancette avait décrété qu'une seule couche de peinture serait suffisante et qu'il s'acquitterait lui-même des travaux, ce qui n'avait étonné personne. Lalancette s'y connaissait autant en plomberie qu'en menuiserie ou en maçonnerie, pouvait se charger d'un problème électrique, changer une poignée de porte ou installer un système de chauffage sans problème. Il n'y avait que l'entretien de l'immeuble qu'il confiait à une entreprise de nettoyage, parce que le ménage, ce n'était pas l'affaire d'un homme. Contrairement au déneigement du toit.

Il avait l'air dubitatif lorsqu'il avait poussé la porte du restaurant, se demandant s'il s'était déplacé pour rien, si cette invitation était un canular, mais Louise avait validé l'invitation et l'avait conduit vers une table d'angle. Elle lui avait proposé un verre de champagne qu'il avait accepté en se disant que le monde était décidément petit.

— Je ne savais pas que tu travaillais ici.

« Il y a bien d'autres choses que tu ignores, mon gros loup », avait songé Louise tout en présentant le menu à son propriétaire.

— Ça fait plusieurs années, répondit-elle.

— On dirait que ça marche bien. C'est toujours aussi plein ? Ça doit être payant… vu les prix ! Tu es sûre que tout est gratis pour moi ?

— Oui, c'est une promotion. Profitez-en, gâtez-vous.

Et il était là, à hésiter entre la terrine de lotte au safran, les cornets de fruits de mer au pamplemousse, le veau en croûte de girolles et le bœuf farci au serrano.

— Vous avez choisi ?

— Qu'est-ce que tu me conseilles ?

— La pastilla à l'agneau est savoureuse.

— Non, l'agneau, ça goûte la laine. J'aimerais mieux du bœuf. Une bonne pièce de bœuf. Avec de la sauce. Avez-vous ça ?

Louise proposa la joue braisée.

— Je vous mettrai de la sauce bordelaise à côté. Avec une purée de pommes de terre et des champignons sautés. Je vous apporte une bouteille de rouge.

— Bonne idée.

Bien sûr que c'était une bonne idée ! Louise tenait à ce qu'il soit ivre en quittant le restaurant. Elle proposerait de le reconduire chez lui puisqu'il habitait tout près de l'immeuble où elle demeurait. En chemin, elle saurait le convaincre de commencer à déneiger le toit. Elle offrirait son aide. Ça lui ferait du bien de prendre l'air après une soirée au restaurant, il dormirait mieux. Et à deux, ça irait tellement plus vite! Elle avait prévu des mignonnettes de gin, glissées dans les poches de son anorak pour l'encourager à grimper sur le toit avec elle. La neige qui continuait à tomber effacerait ses traces et elle veillerait à balayer les empreintes qu'elle laisserait avec ses bottes avant de rentrer chez elle.

Plus tard, après la chute mortelle, elle raconterait qu'elle avait entendu du bruit, s'était demandé qui pouvait bien marcher sur le toit à cette heure tardive, s'était recouchée en pensant qu'elle avait rêvé. Elle se sentait maintenant coupable de ne pas être allée vérifier qui se trouvait là. Elle aurait peut-être pu empêcher la chute d'André Lalancette…

C'est ce qu'elle dirait aux enquêteurs. Cela l'ennuyait un peu que Lalancette périsse de la même manière que son ancien voisin, mais elle avait peu d'options. Son propriétaire ne bougeait pas beaucoup, allait de l'immeuble à son appartement, de son appartement au café du coin, du café à la quincaillerie, puis retour à la case départ. L'entraîner hors des sentiers battus, lui faire changer sa routine était trop compliqué. Déneiger le toit faisait partie de son quotidien. Peut-être pas en pleine nuit, les policiers s'en étonneraient, mais l'autopsie révélerait un fort taux d'alcool dans le sang. On croirait à une lubie d'ivrogne, la mort serait considérée comme un accident.

Probablement que les policiers, lors de l'enquête de proximité, apprendraient qu'elle avait été entendue comme témoin, trente ans plus tôt à Québec, lors de la mort de Roland, mais comment pourraient-ils penser qu'elle était responsable du décès d'André Lalancette en l'absence de toute preuve?

Elle choisit un vin des Côtes-du-Rhône, au pourcentage élevé en alcool, et se chargea elle-même d'en servir le premier verre à son propriétaire. Elle vit ensuite Judith Ellis qui faisait des signes au serveur et se dirigea vers elle.

— Tout est à votre goût ?

— J'ai envie de boire votre délicieux Saint-Aubin.

— Avec le canard, ce ne sera pas trop léger? avança Roland.

— Je m'en fous, dit Judith d'une voix sourde.

En descendant à la cave chercher la bouteille de bourgogne, Louise se demanda combien de temps tiendrait le ménage Ellis. En remontant avec le Saint-Aubin, elle vit Dorothée qui souriait à Guido. Que faisait-elle encore chez Carte Noire ?

— Tu es trop gentil, disait-elle au chef qui lui tendait une grosse boîte.

— Ce n'est rien du tout. Tu as vraiment rendu service à ma voisine, je te devais bien ça. J'espère que ce gâteau plaira à Victor.

— Ce n'est pas son anniversaire, fit Louise en s'avançant vers eux.

— Non, mais c'est la Saint-Valentin...

— C'est moi qui ai offert la pâtisserie, dit Guido, parce que Dorothée s'est occupée de trouver une place en garderie pour le fils de Heather.

— Ta nouvelle voisine ?

— Elle vient d'arriver au Québec. Elle a besoin d'aide, de conseils. À force de voir Dorothée ici... comme elle est travailleuse sociale, j'ai pensé lui parler de Heather, et voilà! En plus, Dorothée vient de m'apprendre une grande nouvelle. Elle est enceinte! C'est formidable!

— Oui, dit Louise.

Elle espéra que le bébé tiendrait enfin Dorothée occupée. Peut-être qu'elle viendrait moins souvent au restaurant.

Elle lui offrit ses sincères félicitations avant de s'éclipser. Elle devait apporter une autre bouteille aux Ellis.

— Ça n'a pas l'air d'aller très bien entre eux, se désola Guido.

— La dame en rouge et l'homme au complet gris ? fit Dorothée. Je crois que…

— Ça ne nous regarde absolument pas, la coupa Louise. Tu salueras Victor pour moi.

— Oui, oui, je ne vous dérange pas plus longtemps, dit Dorothée. Mais pense un peu à toi, ma belle Louise. Il faudrait que tu te reposes, je te sens un peu tendue… On reparlera de Mélissa plus tard.

— Bien sûr ! lança Guido avant de pousser la porte battante de la cuisine.

* * *

— On a été heureux en Bourgogne, murmura Judith sans regarder son mari.

Elle fixait l'homme, cinq tables plus loin, qui venait de vider d'un seul trait son verre de Côtes-du-Rhône. Avait-il lui aussi des soucis à noyer dans l'alcool ?

— Tu te rappelles notre hôtel à Beaune ? poursuivit-elle. C'est là que j'ai découvert le Saint-Aubin, dans un petit café qui ne payait pas de mine, mais qui offrait tous les grands crus de la région.

— La quantité d'escargots que tu as mangés ! Chaque soir ! Et ce Puligny-Montrachet, bien meilleur que le meursault qu'on avait acheté chez le voisin.

— Il faisait tellement beau.

Roland hésita avant de proposer à sa femme de retourner en Bourgogne en juillet.

— Tu es sérieux?

— On devrait se donner une chance. Veux-tu y penser?

— Au lieu de dépenser encore pour un voyage, j'aimerais mieux qu'on achète le cheval d'Elizabeth Tardieu.

— On en a déjà parlé. L'écurie me coûte une fortune. Tu ne peux déjà pas monter deux chevaux en même temps, à quoi ça servirait d'en avoir un troisième?

— C'est une bête magnifique, je ne veux pas qu'il finisse sa vie…

— C'est le problème d'Elizabeth, commença Roland. Mais bon, je veux bien y réfléchir. Et repense à un petit voyage en Bourgogne…

L'arrivée du serveur qui rapportait du pain à Judith évita à celle-ci de répondre, mais elle avait déjà décidé d'accepter de repartir en France. D'essayer une dernière fois de sauver leur mariage. Elle ne put retenir toutefois une remarque perfide.

— Et pour Vincent? Crois-tu qu'on peut s'éloigner? Il dit qu'il n'a plus rien volé, mais il nous a tellement menti!

— Je lui ai sauvé la mise deux fois, il ne sera pas assez bête pour recommencer.

— «Jamais deux sans trois», persifla Judith.

— Tu exagères…

— Il faut toujours qu'il chaparde un truc ou un autre, où qu'il soit. Ça l'amuse, mais moi, je commence à en avoir assez. Sans compter qu'il néglige ses études. Je suis inquiète pour ses résultats scolaires. Le vois-tu étudier? Moi, jamais. Tu dois intervenir.

Judith savait parfaitement que la conduite de son fils exaspérait aussi Roland et qu'il avait été humilié de devoir demander à un collègue d'intervenir pour éviter que le nom de

Vincent soit connu des médias après le cambriolage chez une célèbre chanteuse. Il avait refusé longtemps de voir la réalité, mais il ne pouvait plus nier que le comportement de son rejeton était difficile à gérer… Il aurait dû s'occuper de lui quand il en était temps. Judith ne souhaitait qu'une chose: que Vincent quitte la maison à sa majorité à la fin de l'été.

* * *

ÉPISODE 4

Vendredi, 15 février 2013, 23 h 10

Enfin ! Ils étaient enfin partis ! Louise laissa retomber le rideau, s'éloigna de la fenêtre du salon d'où elle surveillait les allées et venues des enquêteurs. Tôt le matin, les cris de la locataire du rez-de-chaussée l'avaient réveillée. Elle s'était levée et était descendue la rejoindre, avait fait semblant d'être aussi horrifiée qu'elle en voyant le corps de Lalancette dans la cour commune. Les autres voisins s'étaient succédé, l'un d'entre eux avait appelé la police. Des patrouilleurs étaient rapidement arrivés sur les lieux du drame. D'autres policiers avaient envahi la cour avant de commencer à les interroger. Louise avait prétendu s'être profondément endormie dès son retour du restaurant, épuisée par une soirée de Saint-Valentin vraiment exigeante.

— Je n'ai rien vu, rien entendu. Je mets souvent des bouchons pour dormir.

— Il a pourtant dû hurler en chutant du toit. Comme votre ancien voisin à Québec…

Louise avait froncé les sourcils, légèrement étonnée qu'ils soient déjà au courant. Aujourd'hui, avec l'informatique, les enquêteurs avaient aisément accès à des données sur tous les citoyens.

— C'est une drôle de coïncidence, avait-elle convenu. Mais je vous le répète, je n'ai rien vu. J'ai bu un verre avant de me coucher et je me suis endormie aussitôt.

— Quelle heure était-il?

— Autour de minuit. Qu'est-ce qui lui a pris d'aller déneiger le toit en pleine nuit?

— C'est bien ce qu'on se demande...

Ils étaient revenus à la fin de la journée, alors qu'elle rentrait du restaurant, pour lui poser à nouveau un tas de questions, mais ils avaient fini par quitter l'immeuble. Avec un peu de chance, elle ne les reverrait plus... Cette tempête de neige qui avait compliqué leur travail était une vraie bénédiction! Elle avait effacé toute trace de pas et les enquêteurs n'auraient jamais la preuve que Lalancette n'était pas seul sur le toit quand il était tombé.

* * *

Mercredi, 24 avril 2013, 10 h

Louise se tenait derrière le rideau de dentelle du salon, fixant le dos des deux hommes qui regagnaient leurs voitures. Elle les avait détestés dès qu'ils étaient entrés chez elle. Elle avait haï la manière qu'avait le plus vieux de s'avancer trop souvent vers elle, comme si elle faisait partie des murs, comme s'il allait l'acheter en acquérant l'immeuble. Le fils du propriétaire les avait rejoints avant qu'elle puisse parler aux éventuels clients des problèmes de plomberie de l'immeuble. Ils n'étaient pas les premiers à visiter les six appartements de l'immeuble, mais ils avaient posé beaucoup plus de questions que les précédents visiteurs et le jeune n'avait pas cessé de prendre des notes sur son iPad. Il semblait avoir déjà engrangé beaucoup d'informations pour la société immobilière qu'il représentait.

— On reviendra, avait promis le plus vieux à Dave Lalancette. Le temps de faire une évaluation.

— Il y en a eu une, je vous ai montré les papiers. Elle a coûté assez cher à mon père !

— On préfère travailler avec l'inspecteur attaché à la compagnie. Nous avons d'autres immeubles en vue. Nous vous informerons de notre choix.

— Quand ?

— D'ici quelques semaines, promit le plus jeune. C'est un investissement considérable, mais les permis de construction nous posent problème, actuellement.

— Rien qui ne puisse se régler, avait ajouté l'aîné. Mais c'est long avec la ville. M. Poudrier est un fonctionnaire très à cheval sur le règlement. Et lent. Très lent. De toute façon, vous avez aussi des choses à finaliser de votre côté. Avancez-vous, avec le notaire ?

— Je ne pensais pas que ce serait si compliqué d'hériter, avait gémi Dave. Il y a tellement de formulaires à remplir, d'autorisations. J'y ai passé des heures… Tout devrait s'arranger, maintenant.

— Et avec la police ? Vos problèmes…

— Il n'y a pas de problème, avait protesté Dave. J'ai été soupçonné parce que je suis son unique héritier, mais les enquêteurs seront bien obligés d'admettre que je n'ai rien à voir dans l'accident de mon père. Je dormais quand il est tombé. Ce n'est pas de ma faute si personne ne peut en témoigner. Tout va rentrer dans l'ordre.

— Tant mieux, M. Lalancette. On sera peut-être les nouveaux propriétaires avant la fin de l'été.

Les intentions de ces hommes étaient sérieuses, avait déduit Louise. Elle n'avait plus que quelques semaines pour acheter l'immeuble. Avec quel argent ?

Elle avait d'excellents revenus, mais pas assez d'économies à la banque. À cinquante ans, elle n'avait jamais cotisé à un REER et n'avait ni plan d'épargne ni placements.

De l'argent. Il lui fallait beaucoup d'argent. Elle songea aux riches habitués du Carte Noire. Elle savait toutes sortes de choses sur eux, mais il lui aurait fallu en faire chanter plus de la moitié pour récupérer une somme suffisante pour décider les banquiers à lui prêter le reste du montant exigé par le propriétaire.

Alors que Louise avait toujours été indifférente à l'opulence de ses clients, alors qu'elle n'avait jamais envié les bagues, les colliers, les bracelets des femmes ou les voitures des hommes, voilà qu'elle leur en voulait subitement d'être riches. Elle jalousait leur quiétude : ces gens-là s'endormaient sans soucis, tandis qu'elle était victime d'insomnie depuis que la vente de l'immeuble avait été annoncée. Chaque nuit, dans le noir, elle flattait Freya et Melchior en cherchant une solution. Elle aurait bien voulu être capable de faire un vol de banque, mais s'attaquer à une institution était plus complexe que se débarrasser d'un être humain. Elle n'avait pas ce type de compétences...

Elle sourit subitement : pourquoi ne pas mettre ses talents particuliers au service des gens qui en avaient besoin ? Guido avait laissé entendre que Michel Dion, un nouveau client, avait payé sa Porsche comptant et qu'il avait sûrement des liens avec des groupes criminalisés. Elle avait rétorqué qu'il lisait trop de romans policiers.

— Sais-tu combien coûte une telle voiture ?

— Non, mais...

— Renseigne-toi. Michel Dion est un client qui choisit de grands vins, charmant, bel homme, poli et tutti quanti, mais personne ne sait d'où il vient. Ni d'où il tire son fric.

— Il est propriétaire d'une galerie. C'est sa secrétaire qui a réservé pour lui. Il s'intéresse au multimédia, non ?

— De nos jours, tout le monde traficote dans l'univers du multimédia. Le juge Ellis pense la même chose que moi. Il est bien placé pour en savoir long sur Dion…

— Roland Ellis croit que c'est un criminel ?

— Il n'a pas dit ça, mais il a eu une façon de regarder Dion qui ne trompe pas. Il doit l'avoir croisé au palais de justice. Ou des enquêteurs lui ont parlé de lui. Je te jure qu'ils se sont dévisagés quand Dion est entré. Tu lui tournais le dos, mais je suis certain de ce que j'ai vu. Ces hommes se connaissent. Je suppose que Roland Ellis ne peut rien nous dire à propos de Dion. En tout cas, il a eu l'air contrarié de le trouver attablé chez nous.

Et si Guido avait raison ? Comment vanter ses talents auprès de Michel Dion sans commettre de faux pas ? Comment l'approcher ? Combien pouvait gagner une tueuse à gages ? Elle secoua la tête ; même si elle démontrait son efficacité, elle ne gagnerait jamais assez d'argent, elle manquait de temps…

Elle soupira, plongea son regard dans celui de Freya. Que ne ferait-elle pas pour cette adorable créature ? Elle avait espéré que les choses traîneraient en longueur après la mort d'André Lalancette, mais son fils était malheureusement déterminé à vendre l'immeuble au plus vite. Elle l'avait de nouveau entendu se plaindre de la lenteur de son notaire aux futurs acheteurs avant de promettre qu'il ferait le nécessaire pour accélérer les choses. En tuant André Lalancette, elle n'avait gagné que quelques semaines…

* * *

Mardi, 7 mai 2013, 20 h 15

— Je n'irai pas m'ennuyer là! Je n'irai pas, répéta Vincent.

— Je ne te demande jamais rien, rétorqua Roland Ellis. Tu pourrais être plus aimable avec moi. J'ai tout arrangé pour le cambriolage, il n'y aura pas trop de conséquences pour toi. Même chose pour la montre que tu as volée à la bijouterie Roy. Si je n'étais pas client de ce commerce depuis toujours, nous aurions eu de gros ennuis. Tu ne peux pas t'empêcher de… Il faudrait que tu te fasses aider.

— C'était un jeu, un pari avec Michaël. Je te l'ai dit! Tu ne vas pas m'en parler toute ma vie!

— Tu pourrais m'accompagner comme je te le demande.

— Qu'est-ce que tu veux je fasse à une remise de diplômes? le coupa Vincent. Je ne connais personne.

— Je veux qu'on soit en famille.

— Ça ne veut rien dire pour toi, ce mot-là! Je t'ai vu avec ta grande blonde! Tu n'es même pas prudent, Judith aussi est au courant. Tu l'as emmenée à la Galerie 10 pour lui faire ton petit numéro de collectionneur d'œuvres d'art?

— C'est une amie.

— Une amie?

Vincent avait été tenté de révéler à son père qu'il l'avait suivi jusqu'au luxueux appartement où habitait Bianca, qu'il avait attendu de voir de la lumière pour repérer l'étage où elle habitait, qu'il avait consulté la liste des habitants de l'immeuble et déduit que « l'amie » s'appelait Bianca Esposito. Du haut du dernier étage, elle devait pouvoir contempler toute la ville. C'était sûrement son père qui payait l'appartement.

— Tu es tellement pathétique! s'était-il contenté de dire. À ton âge…

Roland Ellis avait quitté la pièce sans répondre, abandonné l'idée d'avoir son fils à ses côtés à la remise de son diplôme *honoris causa*. Pas de photos de famille. Il inventerait une excuse pour justifier l'absence de Vincent. Un séjour de perfectionnement de son espagnol à Barcelone, par exemple. Et s'il l'envoyait vraiment là-bas cet été ? Non. Il ne méritait pas qu'on lui offre un voyage alors que ses résultats scolaires étaient aussi médiocres.

Son fils était paresseux, immature, irresponsable et ne pensait qu'à lui. Qu'à satisfaire ses désirs. Il le tannait depuis deux mois pour qu'il lui paie une moto. Pourtant, il avait déjà une voiture. Il n'en avait jamais assez ! D'un autre côté, si Vincent partait en Espagne, l'atmosphère serait moins lourde à la maison, malgré Judith qui continuerait à bouder encore un peu. Dieu que sa vie était compliquée ! Pourquoi avait-il un fils aussi égoïste et une femme si exclusive ? En quoi était-elle lésée par sa liaison ? Et en quoi l'existence de Bianca gênait-elle Vincent ? Il aurait dû être fier d'avoir un père qui avait du succès auprès des femmes. Roland fit demi-tour, retourna dans la chambre de son fils et lui dit qu'il lui couperait les vivres s'il ne l'accompagnait pas à la réception.

— J'en ai assez d'entretenir un parasite qui ne veut rien faire pour moi.

— Je m'en fous. Je serai majeur dans trois mois. Je vais partir d'ici. Tu seras bien débarrassé ! Et moi aussi !

— Tu vivras avec quel argent ? Celui de ta mère ? ricana Roland.

— Tu l'as forcée à me laisser venir ici ! cria Vincent.

— Je peux te jurer qu'elle n'a pas insisté pour te retenir.

— Tais-toi !

— Il est temps que tu vieillisses un peu et que tu regardes la réalité en face. Sandra était ravie que je me charge de tout.

Mais elle sait très bien que ça va s'arrêter à tes dix-huit ans. Si tu penses qu'elle aura le goût de prendre la relève et de te faire vivre, tu te mets le doigt dans l'œil jusqu'au coude.

Vincent fixa Roland durant quelques secondes avant de se détourner. Il l'entendit lui conseiller de porter la cravate bleue que Judith lui avait donnée à Noël. Avec son costume en lin gris, il pourrait faire illusion, ressembler au fils qu'il aurait dû être, un étudiant qui s'apprêtait à suivre les traces de son père.

Vincent saisit son téléphone, appela son meilleur ami pour se plaindre que son vieux menaçait de lui couper les vivres.

— *Fuck*! répondit Michaël.

— Je ne peux même pas le faire chanter avec sa maîtresse, Judith est déjà au courant.

— Parles-tu de la blonde que j'ai vue sur ton iPhone?

— Oui. Je ne peux pas croire qu'elle est capable de coucher avec lui. C'est trop écœurant de les imaginer ensemble.

— C'est une *chick*! Il est vraiment chanceux…

— Je le déteste tellement! Pourquoi il a tout et moi, rien? C'est moi qui devrais coucher avec Bianca!

— Il faudrait qu'il meure. Tu hériterais et tu aurais la paix.

— Oui, *man,* c'est sûr que ça serait l'idéal s'il crevait.

— C'est *dull* que ce ne soit pas si simple de tuer quelqu'un, dit Michaël avant de couper la communication.

Oui, c'était vraiment *dull,* car si Roland disparaissait, tous ses soucis finiraient dans la tombe avec lui… Et quand il hériterait, il ne dépenserait pas son argent en achetant des tableaux qui ne ressemblaient à rien comme le faisait Roland. Ça aussi, c'était révoltant, il refusait de lui payer une moto, mais il s'était offert un maudit grand tableau d'un peintre très connu. Toujours tout pour lui! Est-ce que Bianca avait les mêmes goûts que son père? Avait-elle aimé ce qu'elle avait vu à la Galerie 10 ou avait-elle fait semblant de trouver ça beau? Il s'approcha de son ordinateur, cibla le fichier où il avait transféré les photos qu'il avait prises de Bianca et secoua la tête : elle était vraiment trop belle pour son père !

Il l'imagina de nouveau nue, sur le bord de la piscine cette fois, ses longs cheveux mouillés collant à ses seins et il eut la gorge sèche subitement. Il avait eu des aventures avec des filles de son âge, mais une femme telle que Bianca, ça devait être autre chose ! Songer à son père avec elle le dégoûtait. Tout, de son père, le dégoûtait. Il se demandait parfois s'il n'aurait pas dû rester avec sa mère. Pourquoi Roland voulait-il sa garde s'il n'avait pas envie de s'occuper de lui ? Il n'était jamais là. Trop occupé avec ses maîtresses. Car il y en avait eu d'autres avant la blonde. Sûr et certain.

* * *

Jeudi, 16 mai 2013, 20 h

La table 9 était réservée pour Roland et Judith Ellis, mais à vingt heures ils n'étaient toujours pas arrivés et Louise commençait à s'en inquiéter. Elle allait répondre au téléphone quand elle vit Judith passer la porte, suivre le maître d'hôtel jusqu'à la table. Elle portait de grosses lunettes en écaille qui amenuisaient son visage. Louise ne l'avait encore jamais vue avec des lunettes. Elle s'approcha pour la saluer, mais avant même qu'elle demande de ses nouvelles, Judith fit un geste de la main pour désigner les assiettes et les verres en face d'elle.

— Vous pouvez les enlever, Roland ne viendra pas.

Au ton de Judith, Louise comprit que tout commentaire serait superflu, voire déplacé. Elle lui présenta le menu et, sans s'enquérir de ce que Judith souhaitait boire, elle revint rapidement avec un verre de champagne Michel Loriot. Durant toute la soirée, elle s'occupa personnellement de Judith et, à vingt-deux heures, alors qu'il ne restait plus qu'elle chez Carte Noire, elle lui proposa de la raccompagner.

— Vous n'êtes pas en état de conduire. Je ne travaille pas demain, je peux vous ramener chez vous.

— Je vais prendre un taxi.

— Je ne veux pas vous laisser partir seule.

— Je ferais mieux de m'y habituer, marmonna Judith. Je serai seule dorénavant. L'éminent juge Roland Ellis va rejoindre sa maîtresse.

Louise prit le bras de Judith pour l'aider à descendre les marches du perron, ouvrit la portière, la fit asseoir dans la voiture, boucla sa ceinture de sécurité avant de démarrer.

— Vous savez… vous savez… pourquoi je vous aime bien, Louise? bredouilla Judith d'une voix molle. Parce que vous n'avez jamais répondu aux avances de mon cher époux.

— M. Ellis ne m'a jamais vraiment draguée, tenta Louise.

— Voyons, vous vous en êtes aperçue, mais vous l'avez ignoré. Il flirte avec tout ce qui bouge.

— Il me semble que je suis trop vieille pour lui.

— Peut-être… peut-être que oui, admit Judith. Quoique… Ça n'arrêterait pas Roland.

Ça, elle pouvait le confirmer! Combien d'allusions avait-il faites lorsqu'il téléphonait pour réserver? Louise lui accordait une chose: il était persévérant. Et orgueilleux, on en revenait toujours à ça… Il voulait être celui qui ferait fondre la princesse des glaces. Louise connaissait son surnom depuis longtemps et elle y tenait.

— Vous n'êtes pas une traînée comme cette Bianca qui part avec les maris des autres, continuait Judith. Qui leur prend leur argent ! C'est à cause d'elle que Roland veut se débarrasser de l'écurie, parce qu'elle lui coûte les yeux de la tête, malgré ses millions ! Mais je ne me laisserai pas faire ! Je ne me séparerai jamais de mes chevaux ! Il pourrait les céder à n'importe qui. Il n'a pas de cœur. Il s'en fout de savoir s'ils seront bien traités ou aimés ! Il serait même capable de les envoyer à l'abattoir.

À l'abattoir ? Louise s'était mise à écouter Judith avec une attention accrue, comme c'était le cas chaque fois qu'il était question de maltraitance envers les animaux. Roland envisageait-il de se débarrasser d'Orion et de Mélusine ? Quand elle les avait vus en photo, elle avait tout de suite aimé ces bêtes splendides au regard doux et fier. Les tromperies du juge étaient déplorables, certes, mais son attitude envers les chevaux était inadmissible.

— Il doit y avoir une solution, dit-elle à Judith.

— Oui, qu'ils crèvent, lui et sa Bianca ! Ce n'est pas moi qui les pleurerai. Quand je pense que j'ai supporté son fils durant douze ans ! Il était déjà odieux, à quatre ans. Un gosse capricieux ! Sa propre mère ne s'en est jamais occupé… J'ai été idiote, vraiment idiote d'accepter ce gamin chez nous. Je suppose que je voulais avoir l'air charitable. Tout le monde croit qu'on a adopté Vincent, qu'il était orphelin, avec un vague lien de parenté par un cousin. Mais Roland n'a aucune famille. C'est son fils naturel. Ils ont le même caractère égoïste, cruel. Quand je pense que je me sentais coupable.

Louise ralentit en se tournant vers sa passagère. Coupable ? Judith lui sourit, l'air mauvais.

— Oui, madame ! Je ne pouvais pas refuser d'accueillir Vincent puisqu'on ne réussissait pas à avoir un enfant. Tandis que Roland envoyait des chèques à la mère aux États-Unis, je me décarcassais à essayer d'élever son garçon. Je me suis fait baiser sur toute la ligne.

— Qui est la mère de Vincent?

— Une profiteuse que Roland a rencontrée alors qu'il était en voyage. D'après ce qu'il dit, il ne l'aurait vue qu'une fois. C'est incroyable qu'elle soit tombée enceinte.

— S'il s'est fait piéger... avança Louise pour obliger Judith à livrer sa colère.

— Piéger? s'esclaffa Judith. Il était fier comme un paon! On n'a pas eu d'enfant. Il n'a jamais voulu savoir si c'était lui ou moi qui était stérile, mais ça l'a rassuré sur sa virilité. Ça m'étonne seulement qu'il ait voulu entretenir son image de respectabilité en prétendant que Vincent était le fils d'un cousin. Je n'ai jamais compris pourquoi il ne l'avait pas reconnu publiquement. Il s'est contenté de l'adopter légalement. Je ne sais pas où Vincent ira quand on aura divorcé. Si ça traîne, il sera majeur... Seigneur! Il pourrait décider de rester à la maison, de me foutre à la porte!

«Quand sera-t-il majeur?» Louise brûlait d'envie de poser la question. De combien de temps disposait-elle pour élaborer un plan? Car elle ne pouvait faire autrement que d'imaginer diverses manières d'aider Judith depuis qu'elle avait entendu parler de millions de dollars...

— Vous ne pouviez pas deviner qu'il vous trahirait ainsi, fit Louise tout en réfléchissant à l'idée que venait de lui suggérer Judith.

Si Roland disparaissait, Judith n'aurait plus à divorcer. Elle hériterait et garderait la maison et l'écurie. Son fils aurait sûrement la moitié des biens, mais, grâce à son père, le juge Ellis était richissime.

— Je ne pensais pas que M. Ellis était si à l'aise. C'est de l'argent de famille?

— Son père était un simple docker à New York, expliqua Judith. Il a construit sa fortune avec le commerce maritime.

Mon mari s'est destiné à la magistrature pour plaire à cet homme qui rêvait d'avoir un notable dans la famille.

Elle avait raconté qu'à sa mort, quelques mois après leur mariage, ils avaient appris que Matt Ellis était infiniment plus riche qu'ils ne l'avaient imaginé. Roland, encore avocat à l'époque, aurait pu prendre sa retraite et y avait songé un moment, mais il aimait l'atmosphère du palais de justice, le décorum de la Cour et les dîners au restaurant avec ses pairs. Il revêtait sa toge avec plaisir et, après tout, il n'avait pas fait toutes ces études pour s'arrêter si vite de plaider. Il s'était contenté d'acheter une voiture de luxe pour se rendre au palais de justice et d'offrir un autre tailleur Chanel à Judith en lui promettant qu'ils feraient une croisière par année, qu'ils achèteraient un appartement à Paris et une maison en Floride.

Et une écurie, bien sûr. Il savait qu'elle adorait les chevaux et les monter était un bon exercice; il ne tenait pas à ce que Judith s'empâte. Ils avaient trouvé cette fermette, acheté l'écurie et Orion, un hongre brun. Il avait refusé longtemps d'acquérir un autre cheval, il n'était pas question qu'il accompagne sa femme dans ses promenades. Voyons, il serait au palais tandis qu'elle se distrairait!

— Mon beau Roland se prétend allergique aux animaux. Mais, la vérité, c'est qu'il a une peur bleue des chevaux. Une vraie phobie!

— Comment peut-on avoir peur des chevaux? murmura Louise. Ils incarnent la noblesse, l'intelligence.

— Vous me comprenez... Je suis si lasse, Louise. Toutes ces années perdues. Et maintenant, je devrais renoncer à mes chevaux? Alors qu'il a autant d'argent? Il peut faire construire une maison pour sa pute sans m'enlever l'écurie! Au fond, il est radin. Comme son père. On n'aurait jamais pensé que le vieux avait vingt millions à la banque.

Vingt millions ? Un long frisson parcourut Louise.

— Roland pourrait arrêter d'aller au palais, mais il aime trop se pavaner dans sa toge. Il l'a fait faire sur mesure. Une toge! Il était prêt à payer pour cela. Pour bien paraître, il est capable de dépenser des sous. Mes robes, mes bijoux, c'est pour son image. Pas pour me plaire. La seule chose que je lui demande, c'est l'écurie, mais il dit qu'il n'y a pas de raison d'encourager mes caprices. Il parle de Mélusine et d'Orion comme s'il s'agissait d'objets! Il doit parler de moi de la même manière.

— Si vous divorcez, vous toucherez de l'argent. Ça ne vous permettrait pas de garder l'écurie ?

— Nous sommes mariés sous un régime de séparation de biens, dit Judith en se tassant contre la portière. Roland a pensé à tout. J'étais amoureuse de lui, je n'ai pas réfléchi, j'ai signé ce qu'il voulait. Je ne savais pas que l'amour était une illusion. De toute façon, il n'a pas encore prononcé le mot divorce. Il veut seulement me blesser.

— Vous avez fêté vos vingt ans de mariage, protesta mollement Louise. Je croyais que...

— Je faisais semblant. Je me mentais à moi-même, comme aux autres. Il n'y a plus rien entre nous depuis longtemps. Mais que voulez-vous que je fasse? Je ne peux pas recommencer à chanter. Je n'existe plus. Je ne suis que la femme du juge Ellis.

— Il vous a trompée. Il est dans son tort...

— Oui, sauf que rien n'est simple avec lui. Il connaît le droit. Ça traînera en longueur et je devrai dire adieu à mon bel Orion et à ma Mélusine. Je ne mérite pas ça! Je le déteste... Je veux qu'il crève et que...

Judith n'avait pas terminé sa phrase, s'était endormie, tête renversée vers l'arrière.

* * *

ÉPISODE 5

Jeudi, 16 mai 2013, 23 h 10

Victor écoutait la respiration régulière de Dorothée qui avait la chance de s'endormir dès qu'elle posait la tête sur l'oreiller, alors que lui devait toujours récapituler la journée qui venait de s'écouler, s'assurer qu'il n'avait oublié aucune tâche, négligé aucun élève, raté aucune rencontre avec un collègue. Il avait la réputation d'être très sérieux, organisé, fiable. Il était ce genre d'homme sur lequel on pouvait compter et il souhaitait que cela dure, qu'on continue à l'apprécier au collège. Il n'y avait pas de tache dans son dossier et il n'y en aurait jamais.

La seule erreur qu'il avait commise dans sa vie était profondément enfouie dans ses souvenirs. Il ne faisait quasiment plus de cauchemars à propos des morts violentes de ses voisins à Québec depuis qu'il vivait avec Dorothée. Heureusement! La crainte de prononcer le nom de la victime de Louise le hantait. S'il fallait qu'il crie durant la nuit, qu'il réveille Dorothée, qu'elle l'interroge sur ses rêves… que pourrait-il lui dire? Il mentait tellement mal, elle devinerait qu'il lui cachait quelque chose.

Il y avait toujours une lueur de curiosité dans ses yeux lorsqu'elle évoquait Louise, lorsqu'elle le questionnait à son sujet ou rapportait une conversation entre elles. Dorothée ne pouvait s'empêcher de vouloir mieux la connaître. « Elle est si mystérieuse, elle me fascine.» Plus Louise était réservée, plus Dorothée tenait à percer ses défenses. Elle la croyait renfermée et c'était vrai, mais certainement pas parce qu'elle était timide comme elle l'imaginait. Victor aurait préféré que Dorothée cesse d'aller voir Louise au restaurant, mais s'il le lui disait, elle se demanderait en quoi cela pouvait le gêner. Et poserait des questions.

Il y avait au moins une chose, heureusement, dont il était persuadé: Dorothée n'apprendrait jamais rien sur Louise, même si elle excellait à recevoir des confidences, même si elle avait des années de métier comme assistante sociale, même si sa fille Mélissa finissait par travailler cet été au restaurant. Louise l'engagerait-elle ou non? Victor songeait parfois qu'il aurait mieux fait d'emménager dans une autre ville avec sa nouvelle famille. Tout aurait été plus simple.

Il s'agita dans le lit, se tourna, se retourna, finit par aller boire un verre de lait. En passant devant la chambre de Mélissa, il vit de la lumière par la porte entrebâillée. Il s'avança, vit sa belle-fille installée devant l'écran de son ordinateur. Il crut distinguer le visage d'un garçon occupant tout l'espace. Était-ce une star ou quelqu'un qu'elle connaissait? Il toussa pour avertir Mélissa de sa présence. Elle referma aussitôt l'ordinateur.

— Victor? Tu ne dors pas?

— Toi non plus? Il est tard.

— J'avais un truc à finir. Je me couche bientôt.

Il lui sourit avant de refermer la porte. Est-ce que Mélissa était amoureuse? En versant le lait dans un grand verre, il se sentit étrangement ému par cette découverte. Il se dit qu'il attendrait un peu avant d'en parler à Dorothée. Mélissa avait droit à son jardin secret et Dorothée était parfois trop enthousiaste pour demeurer discrète.

* * *

Jeudi, 16 mai 2013, 23 h 20

Michel Dion tapotait avec satisfaction la mallette de cuir fauve posée sur la table de l'élégante suite qu'il occupait. Il prit le plateau où il ne restait que quelques frites et alla le déposer devant la porte. Du dernier étage, il pouvait admirer la tour du CN. Il n'y était jamais monté, il avait autre chose à faire quand il allait à Toronto.

Il s'étira, jeta un coup d'œil au menu, fut tenté un moment de sortir pour boire un dernier verre, mais il ne voulait pas laisser sans surveillance la mallette, qui n'entrait pas dans le coffre-fort de la chambre, ni se déplacer avec elle. Il terminerait plutôt le Pomerol 1996. Sous peu, avec tout l'argent qu'il avait réussi à blanchir, il pourrait s'installer en France et boire autant de bordeaux qu'il en aurait envie.

Qui aurait cru que ses études en histoire de l'art lui vaudraient d'être recruté par Colin McMurphy ? Celui-ci lui avait proposé d'effacer sa dette envers son *dealer*, de remettre ses cartes de crédit à zéro s'il acceptait de lui rendre un petit service. Il connaissait le milieu des galeries, des gens qui travaillaient dans des musées, des collectionneurs, tout un univers qui intéressait McMurphy et ses associés. Acheter et revendre certaines toiles permettrait « d'aérer » l'argent provenant de divers trafics. Comment refuser ?

Des années plus tard, il ne regrettait toujours pas d'avoir choisi le commerce plutôt que l'enseignement. Il se considérait comme un homme d'affaires, puisqu'il avait appris à diversifier ses sources de revenus. Il était maintenant riche et il adorait ça. Il avait moins aimé cependant les questions que lui avaient posées deux enquêteurs de la Sûreté du Québec, l'année précédente, mais son avocat avait bien travaillé, les policiers n'avaient pas assez d'éléments pour l'embêter. Et bientôt, il n'aurait plus à se soucier de Roland Ellis. La seule ombre au tableau…

Il appela le service aux chambres afin qu'on lui apporte un cappuccino et un Courvoisier. Il sourit en reposant le combiné téléphonique, décidé à passer une bonne soirée. Il regarderait la nouvelle série qu'il avait téléchargée dans son ordinateur en sirotant son digestif.

* * *

Jeudi, 16 mai 2013, 23 h 50

Louise avait roulé jusqu'à Westmount où habitaient les Ellis en réfléchissant à la situation. Il serait vraiment regrettable que Judith soit privée de ses chevaux parce que Roland Ellis avait envie de batifoler avec une jeune créature. Si elle disait vrai, s'il faisait traîner leur divorce en longueur, Judith perdrait Orion et Mélusine. Et Louise verrait s'envoler une belle occasion de gagner de l'argent.

Elle réveilla Judith, endormie sur le banc du passager, fouilla dans son sac à main pour y prendre les clés de la maison, l'aida à gagner l'allée centrale qui menait à la porte principale. Il lui semblait étrange de venir à cette adresse pendant la nuit. En général, c'était l'inverse. À cette heure-ci, elle repartait après s'être assurée que la soirée s'était bien déroulée, que les Ellis étaient satisfaits du service de traiteur offert par Carte Noire, qu'il s'agisse d'un souper intime pour huit personnes ou du grand pique-nique sous la pergola donné l'année précédente pour l'anniversaire de Vincent.

D'une beauté remarquable, Vincent ressemblait si peu à Roland que Louise s'était demandé s'il était vraiment son fils, si la mère du garçon n'avait pas profité de Roland. Avait-il exigé un test de paternité ? Probablement. Roland Ellis n'était pas un idiot. Enfin, pas totalement. Louise savait combien il était sensible à la flatterie, ce qui n'est sûrement pas une forme d'intelligence.

Elle miserait sur ce point faible.

— Le système d'alarme est-il activé ? s'informa-t-elle avant d'insérer la clé dans la porte de chêne massif.

Judith pouffa. Oh oui, il l'était toujours. Roland tenait tellement à ses maudites œuvres d'art.

— 251267, ma date de naissance. Original, non ?

— Ça doit être ennuyeux d'être née le jour de Noël, observa Louise pour masquer sa satisfaction d'avoir obtenu si aisément ce code qui pourrait lui être utile.

Les deux femmes pénétrèrent dans la maison et s'avançaient vers le salon lorsqu'un miaulement surprit Louise.

— Vous avez un chat ? Je ne l'ai jamais vu.

— Je l'ai trouvé dans le box de Mélusine. J'ai cherché la mère, sans succès… Je ne pouvais pas l'abandonner, je l'ai ramené ici. Il va bien, maintenant. Et devinez quoi ? Roland n'a pas éternué une seule fois !

Décidément, Judith méritait sa sympathie. Son aide. Son appui. Et vice versa.

— Comment s'appelle-t-il ?

— Igor !

— Je peux le prendre en photo ? Il est tellement mignon !

— Vous me comprenez. Vous l'auriez adopté, vous aussi. Mais Roland me l'a évidemment reproché. Dieu que je suis fatiguée...

— Vous avez bon cœur, la rassura Louise. Je comprends que vous soyez dévastée à l'idée de vous séparer de vos chevaux.

Elle se tut un moment avant de demander ce qu'elle pouvait faire. Puis elle actionna l'application « enregistrement » de son iPhone.

— Vous ne pouvez rien faire pour moi, à moins d'aller me chercher un verre d'eau. J'ai la tête qui tourne un peu.

Judith s'affala sur le canapé du salon, tandis que Louise se dirigeait vers la cuisine où Igor la suivit. Elle devait résister à l'envie de le prendre, de le caresser. Elle avait tout de suite compris qu'il était craintif et elle attendrait qu'il ait terminé son repas pour le flatter. Après lui avoir présenté ses mains afin qu'il accepte sa présence. Il était vraiment minuscule et Louise frémit en songeant qu'il était un miraculé : comment avait-il pu échapper aux sabots des chevaux ? Elle admira son pelage tigré, sa longue queue, ses oreilles étonnamment rondes. Peut-être qu'elles n'étaient pas si rondes, mais Louise était tellement habituée aux oreilles pointues de Freya qu'elle trouvait étranges les oreilles de tous les autres chats. Même celles de Melchior.

Igor vida son écuelle avant de venir frotter son museau contre la cheville de Louise. Elle se sentit alors autorisée à le soulever et le glissa contre son cou avant de revenir vers le salon. Elle s'assit en face de Judith qui lui sourit en prenant son verre d'eau. Louise laissa son regard errer dans l'immense pièce. Ce serait vraiment dommage que Judith soit privée de tout cela. Et Igor. Il devait courir avec bonheur dans ce salon et adorer les tapis.

— Je ne suis pas une bonne hôtesse, je ne vous ai rien offert. Voulez-vous un verre de...

— Non, non, je conduis. Et mes chats m'attendent.

— C'est dommage, vous auriez pu dormir ici. Il y a de la place et Roland est parti. On pourrait continuer à jaser toute la nuit. C'est tellement mieux quand il n'est pas là!

— Vraiment?

— Si je pouvais en être débarrassée!

— Débarrassée?

— Ce serait formidable de ne plus jamais revoir Roland! Qu'il disparaisse de ma vie! Qu'il cesse définitivement de ruiner mon existence! Je paierais très, très cher pour qu'il pourrisse en enfer avec ses maîtresses! Je voudrais le voir mort! Igor n'est-il pas irrésistible?

— Adorable!

Louise déposa le chaton sur le fauteuil de laine après un dernier baiser sur sa petite tête, douce comme une feuille de sauge. En bâillant, il lui rappela Melchior qui ouvrait grand sa gueule lorsqu'il voyait des mouches à la fenêtre. Elle sortit en prenant soin de mettre le sac à main de Judith bien en évidence sur la table du salon. Pour qu'elle n'ait pas à le chercher en se réveillant. Elle aurait certainement mal à la tête.

Louise aussi, mais ce serait dû à un manque de sommeil. Elle n'était pas prête à se coucher, obnubilée par les vingt millions de dollars qu'avait évoqués Judith. Vingt millions... Combien de temps mettrait-elle à toucher l'héritage après le décès de Roland? Est-ce que les assureurs s'en mêleraient? Est-ce que le notaire se montrerait très pointilleux?

Louise ne connaissait rien aux droits de succession. Il y aurait sûrement un partage avec le fils. Disons la moitié. Ça ferait tout de même dix millions de dollars pour Judith. Elle avait bien dit que Roland n'avait aucune famille. Dix millions qui lui fileraient sous le nez si Roland divorçait. Ou s'il restait à la maison. Seule sa disparition la comblerait. À combien s'élèverait sa gratitude envers celle qui lui permettrait de conserver ses chevaux ?

Louise retourna à sa voiture en prenant soin de fermer l'application « enregistrement » de son téléphone.

* * *

Mercredi, 19 juin 2013, 22 h 50

— C'est dommage qu'on ne respecte pas la tradition du 1er mai, dit Guido à Louise alors qu'elle s'apprêtait à quitter Carte Noire. J'aimais bien qu'on vende du muguet au coin des rues, à Paris. Quand je revenais du travail, j'en achetais toujours à la vieille dame du square. J'en aurais offert à toutes les femmes que je rencontrais…

— Comme tu as fait ce soir ?

— Le muguet pousse si tard au Québec, je voulais que toutes les clientes en profitent.

— Toujours aussi romantique !

— Ça embellit la vie !

Louise se contenta de sourire. Elle n'avait jamais été sensible à toutes ces marques d'attention qui plaisent à certaines femmes : les fleurs, les petits cadeaux, les cœurs dessinés sur les nappes en papier des restos, les messages téléphoniques, les courriels dont le seul but était de rassurer l'autre sur son amour. Comme Victor l'avait énervée avec ces sottises. Elle se taisait, car elle était bien consciente que ces coutumes avaient leur importance pécuniaire dans la restauration. La Saint-Valentin, les anniversaires de naissance, de « rencontre », les soirées où il fallait se faire pardonner une bêtise ou celles des conquêtes… Toutes ces occasions poussaient les clients chez Carte Noire où l'excellence de la table emportait toutes les résistances, balayaient les remords, apaisaient les âmes angoissées. La plupart du temps. Les langoustines au couscous de chou-fleur à la citronnelle, la pastilla aux cailles et à la cardamome, le loup en croûte de sel aux herbes, le nougat glacé à la mangue n'avaient pas réussi à faire oublier leurs soucis conjugaux aux Ellis.

Depuis quelques semaines, Roland tout comme Judith prenaient toujours la peine de vérifier si «l'autre» avait déjà réservé une table avant de retenir une place. Les mardis, jeudis, samedis appartenaient surtout à Roland, Judith se présentait les dimanches, lundis et vendredis. Jusqu'à maintenant, ils étaient venus avec des amis. Roland n'avait pas poussé l'audace jusqu'à entraîner sa fameuse Bianca et Louise voyait cela d'un bon œil. Peut-être que cette femme n'était qu'une passade, l'expression de sa lassitude conjugale. S'il n'était pas assez amoureux d'elle pour la sortir en public, les choses seraient plus aisées pour Louise.

Elle avait déjà modifié son comportement vis-à-vis de Roland Ellis en l'effleurant de la main lorsqu'elle l'accompagnait à sa table, en l'interrogeant avec un intérêt nouveau sur les causes qui l'occupaient au palais de justice. Comme il n'avait pu s'empêcher de lui faire remarquer qu'elle était plus diserte – Roland aimait employer des mots peu usuels pour étaler sa culture –, elle avait répondu qu'elle n'osait pas se manifester davantage quand il dînait avec son épouse, mais puisqu'il semblait y avoir des changements dans leur vie…

Le sourire satisfait du juge Ellis avait réjoui Louise et elle comptait passer à l'offensive à la fin de la soirée. Pour la première fois depuis qu'elle travaillait chez Carte Noire, elle avait mis quelques gouttes de parfum. Rien de plus. Elle s'était vêtue de noir, avait épinglé la rose de soie blanche, mis des collants en dentelle comme chaque soir où elle officiait au restaurant. Elle devait rester l'imprenable citadelle si elle voulait aviver le sentiment d'orgueil chez Roland. Mais elle devait aussi lui faire savoir qu'il y avait une faille dans cette carapace qu'elle présentait à tous les clients. Une faille qu'il serait le seul à avoir décelée.

Il nota qu'elle s'était parfumée après avoir terminé son Lagavulin 20 ans d'âge. Louise ne comprenait pas que des clients optent pour un scotch, ou pire, un Ricard et se tapissent de tourbe, de cuir ou d'anis les papilles avant de manger. Cependant, elle n'avait jamais émis le moindre commentaire sur ces choix discutables et elle avait montré la bouteille à Roland Ellis en souriant, avait versé généreusement le liquide ambré sur les glaçons avant de déposer le verre devant lui.

— Vous n'avez pas lésiné, dit-il en levant son verre.

— C'est samedi, vous êtes en congé demain, non ? Je sais que vous êtes un bourreau de travail, mais tout de même pas le dimanche !

Il avait secoué la tête sans cesser de la regarder, se demandant quels dessous portait Louise. Était-elle du genre dentelle ou confort ? On croyait à tort qu'un soutien-gorge tout simple manquait de charme. Parfois, il galbait mieux une poitrine qu'un attirail pigeonnant. C'était également plus honnête, les seins étaient ce qu'ils étaient, sans artifices, sans bourrures. Comment étaient les seins de Louise sous la robe noire ?

— Je vais peut-être passer la journée à Montebello, annonça-t-il. J'aime bien l'hôtel et j'ai envie de changer d'air. Il ne fera pas plus chaud là-bas, mais… À moins que j'aille jouer au golf. Pour les mordus comme moi, si on attendait les conditions idéales au Québec, on ne jouerait jamais. Heureusement que je suis allé à Miami… Vous jouez au golf, Louise ?

— Je n'ai pas le temps.

— Votre patron est un esclavagiste ! Révoltez-vous ! Je suis certain que vous aimeriez le golf.

Louise était ravie qu'il lui parle de cette passion. Elle avait pris la peine de lire en entier *Rêves de golf* afin de pouvoir l'épater.

— Je crois que oui, en effet. J'ai eu beaucoup de plaisir à lire le bouquin de John Updike.

— John Updike ? Qui écrivait dans le *New Yorker* ?

— Il a fait paraître un ouvrage sur le golf voilà plus de quinze ans, mais je pense qu'il est toujours d'actualité. Et très drôle, même s'il expose toutes les difficultés que rencontre un amateur de golf.

— C'est ce qui confère tant de charme à ce sport, affirma Roland Ellis. Je vais acheter ce bouquin.

Louise fit une moue dubitative. Il aurait peut-être du mal à se procurer cet ouvrage qui n'avait malheureusement pas été réédité. Elle avait d'ailleurs voulu en offrir un exemplaire à son patron et n'en avait pas trouvé.

— Voulez-vous que je vous prête mon exemplaire ?

— Volontiers. C'est tranquille à la maison, ces jours-ci... Vous devez savoir que Judith est en croisière jusqu'à la fin du mois. Une lecture amusante, c'est ce qu'il me faut.

Louise hocha la tête avant de poser une main compatissante sur l'épaule de Roland Ellis, puis elle pivota et se dirigea rapidement vers la cuisine. Comme si elle s'enfuyait, comme si elle regrettait ce moment d'intimité qu'ils venaient d'avoir. Roland ne devait surtout pas trouver l'entreprise de séduction trop facile, il s'en désintéresserait. Il était vraiment tout le contraire de Victor, si naïf, si modeste, qui n'arrivait pas à croire qu'elle puisse vouloir de lui dans son lit.

Elle se rappela soudain que Dorothée lui avait encore téléphoné pour l'inviter à l'anniversaire de Victor. Quand donc cette gourde comprendrait-elle qu'elles n'étaient pas amies ? L'année précédente, elle était allée à ce foutu anniversaire et elle s'y était ennuyée. Et cette année, tout tournerait autour de la grossesse de Dorothée… Pourquoi s'infliger cette corvée? Elle ne craignait pas que Victor révèle à Dorothée les secrets de leur passé à Québec, ce n'était pas dans son intérêt. Après tout, peut-être qu'elle tenait simplement à s'assurer que Victor ne changeait pas, qu'il demeurait celui qu'elle avait toujours connu, absolument transparent, lisible.

Louise détestait les imprévus. Les clients qui retenaient les services de Carte Noire pour des surprises-parties demeuraient une source d'incompréhension pour elle. Ces conspirations pour étonner un ami la laissaient perplexe. Comment pouvait-on apprécier d'entendre crier « surprise » à tue-tête en arrivant chez soi ou au resto, alors qu'on s'attendait à une soirée tranquille, d'être ensuite le centre d'intérêt durant toute cette soirée et devoir discuter avec trente ou cinquante ou cent personnes pendant des heures. L'heureux élu ne pouvait même pas s'éclipser discrètement…

Aucun animal n'aimait les surprises. Elles étaient source de stress. Un bruit incongru faisait sursauter Freya et Melchior. Ils étaient immédiatement sur leurs gardes si un inconnu pénétrait dans leur univers et ils détestaient les odeurs impossibles à identifier. Les chats avaient la sagesse de préférer le savoir à l'incertitude.

— Vous portez du parfum! s'exclama Roland Ellis lorsque Louise lui servit le tartare de hareng et des mini-blinis à la crème aromatisée au raifort.

— Vous êtes le premier à le remarquer, mentit-elle.

Guido l'avait noté dès qu'elle était arrivée en cuisine, l'avait questionnée. Avait-elle quelqu'un dans sa vie pour se décider à essayer enfin le Jo Malone qu'il lui avait offert lors de l'échange de cadeaux de son premier Noël chez Carte Noire? Elle avait éclaté de rire, affirmé qu'elle adorait son statut de célibataire.

— Je ne te comprends pas, avait-il avoué. J'aimerais tellement ça être amoureux !

— Il y a des dizaines de femmes qui ne demanderaient pas mieux que d'être avec toi, avait répondu Louise.

— Je suis pourtant seul.

— Tu es trop timide, il faut foncer !

— Je ne vais pas draguer pour draguer. Ce n'est pas le sexe qui m'intéresse, mais l'amour.

Louise s'était contentée de sourire en s'étonnant encore une fois de s'entendre si bien avec Guido, alors que leurs personnalités étaient radicalement différentes.

Les histoires de sexe ou d'amour ne l'intéressaient pas vraiment. Elle ne s'était jamais refusée à Victor, considérant qu'elle perdrait moins de temps à leurs ébats qu'à expliquer pourquoi tout cela l'ennuyait. Elle ne s'imaginait pas suivre un inconnu chez lui et n'aimait pas dormir ailleurs. Elle préférait prendre son petit déjeuner en silence. Lire ses journaux en paix. Et caresser ses chats.

— Vous permettez ? fit Roland en saisissant le poignet de Louise pour l'approcher de son visage. Cela sent divinement bon. Une odeur de fruit et de fleurs.

Comment aurait-il pu en être autrement ? Il y avait sûrement des fleurs dans tous les parfums.

— Vous avez raison, il y a des figues et du chèvrefeuille. J'ignorais que vous connaissiez aussi les parfums.

— Vous ignorez beaucoup de choses de moi, chère Louise...

Il avait étiré son prénom en le prononçant et relâchait maintenant son poignet sans cesser de la dévisager. Louise aurait aimé pouvoir rougir sur commande, mais cela ne lui arrivait jamais. Elle espéra que son rire gêné suffirait à trahir un certain trouble. Roland Ellis eut une expression satisfaite qui la rassura.

Le juge semblait mûr.

ÉPISODE 6

Mercredi, 19 juin 2013, 23 h

La pleine lune découpait les ombres des lampadaires sur les trottoirs du boulevard lorsque Louise quitta Carte Noire. Les dernières clientes étaient parties depuis trente minutes déjà, et Louise s'était interrogée durant tout ce temps. Avait-elle raison de croire que Roland l'attendrait à la sortie du resto? Comment l'aborderait-il?

Elle avait hésité à se changer comme elle le faisait d'habitude avant de rentrer chez elle. Sa stricte robe noire était associée à un uniforme et ce style un peu austère, accentuant l'image de femme distante qu'elle projetait, la servirait peut-être. D'un autre côté, désarçonner Roland en lui montrant une autre image d'elle-même pouvait être aussi payant. Elle avait fini par conserver sa robe, ses talons hauts qui résonnaient maintenant sur le bitume. Il fallait garder les yeux au sol dans cette ville aux trottoirs en mauvais état et elle commençait à regretter de ne pas avoir mis ses chaussures plates lorsqu'on l'interpella. Elle avait gagné son pari! Elle attendit quelques secondes avant de se retourner et de feindre la surprise.

— Louise! cria de nouveau Roland Ellis.

— Monsieur le juge? Vous avez oublié quelque chose au restaurant?

— Oui. Non… C'est-à-dire que…

— Qu'est-ce que je peux faire pour vous? s'enquit Louise en s'approchant de la voiture garée à vingt mètres de Carte Noire.

— Vous ne devinez pas un peu?

— Monsieur le juge…

— Arrêtez de m'appeler ainsi, j'ai l'impression d'être au palais de justice. Ce n'est pas une heure pour travailler.

— Ça dépend pour qui, objecta Louise.

— Justement, vous avez fini pour aujourd'hui. Peut-être aimeriez-vous boire un verre pour vous détendre? On pourrait aller au Ritz. Montez donc!

— Au Ritz? Je…

— Il fait froid. Ne restez pas à geler dehors. Juste un verre. Vous voyez bien que je me sens seul, ce soir.

— Oui, mais je n'ai jamais accepté de prendre un verre avec un client.

— Je ne suis plus un client puisque nous ne sommes plus chez Carte Noire. Juste un verre entre amis. Depuis le temps que nous nous connaissons…

Louise posa la main sur la portière, regarda autour d'elle, fit mine d'interroger sa conscience et répéta:

— Juste un verre au Ritz?

— Promis.

Elle s'assit en songeant que Roland Ellis devait soupeser ses chances de réserver une chambre à l'hôtel. Il n'en avait aucune, bien sûr. La princesse de glace n'allait pas se laisser séduire après un seul verre de Lanson. Un silence gênant s'installa entre eux et Louise se garda bien de le rompre. Il contribuerait à persuader Roland qu'elle était aussi déstabilisée que lui.

En arrivant à l'hôtel, il retrouva toute son assurance quand l'hôtesse à l'accueil du restaurant Maison Boulud le salua. Au bar, le serveur lui demanda s'il prenait son Glenlivet habituel, tout en tendant une carte à Louise qui commanda une coupe de champagne.

— On peut prendre une bouteille, proposa Roland.

— Non. Je veux bien accepter un verre de plus, mais c'est tout ce que je vous autorise, dit Louise d'un ton ferme. Je n'aime pas qu'on paie pour moi. Et ce ne serait pas raisonnable.

— Est-ce que j'ai l'air si raisonnable que ça?

— Vous non, mais moi oui. Je n'ai pas l'habitude de...

— Vous êtes toujours aussi sage?

Louise acquiesça en déboutonnant maladroitement son imperméable. Roland s'avança pour l'aider à s'en dépêtrer, effleura son épaule, y laissa sa main quelques secondes de plus que nécessaire, la retira lorsque Louise le dévisagea. Il se demanda soudain ce qu'il faisait là, à minuit vingt, avec cette femme qui lui envoyait trop de messages contradictoires. Pourquoi s'était-elle occupée de lui toute la soirée chez Carte Noire, pourquoi avait-elle accepté de l'accompagner au Ritz s'il ne l'intéressait pas? Était-elle encore plus réservée, plus stricte qu'il ne le croyait?

Il fixa un moment le verre de scotch. Pourquoi s'intéressait-il subitement à une femme de cet âge, alors qu'il aurait dû être avec Bianca? Celle-ci avait d'ailleurs protesté quand il lui avait dit qu'il ne la verrait pas comme prévu ce soir-là. Il n'avait pas menti cependant en lui jurant qu'il ne s'était pas réconcilié avec son épouse. Oui, il la quitterait. Elle devait simplement patienter encore un peu. Bianca s'était plainte de s'être coiffée, maquillée, habillée pour rien. Elle s'ennuyait dans son petit appartement et il lui manquait. Roland avait juré de l'emmener passer le week-end à Québec. Au Château Frontenac. Ou au Loews.

— Au Bonne Entente, avait-elle exigé. C'est plus romantique.

— Tout ce que tu veux. Maintenant, je dois aller rejoindre Maître Chevrier.

— Tu es sûr qu'on ne peut pas se voir plus tard, chéri ? J'ai envie de sortir.

— Demain.

— Je vais aller danser sans toi, menaça-t-elle.

— C'est très bien, amuse-toi. Nous nous verrons demain.

— Promis ?

— Juré.

Il avait coupé la communication, avait monté le son de la radio et espéré que Louise ne tarderait pas à quitter le restaurant après le départ des dernières clientes. Il avait attendu pour partir que celles-ci réclament l'addition, évaluant son attente à une trentaine de minutes. Il ne s'était pas trompé et Louise, assise à ses côtés, regardait autour d'elle en plissant les yeux comme le font les chats lorsqu'ils sont contents.

L'image du chaton recueilli par Judith s'imposa à son esprit. Il le revoyait blotti dans le cou de sa femme, tandis qu'elle lui répétait qu'il n'était pas question de vendre l'écurie. Il en avait assez de ses jérémiades. Assez qu'on lui réclame toujours quelque chose. Même Bianca, si belle soit-elle, commençait à l'agacer. Ne pouvait-on pas lui foutre la sainte paix ? C'était peut-être pour cette raison qu'il avait voulu sortir avec Louise. Elle semblait n'avoir besoin de rien ni de personne.

— À quoi pensez-vous ?

— À vous.

Elle était sincère ; elle réfléchissait à la meilleure manière de le tuer. Le meilleur endroit, le meilleur moment.

— Je ne vous connais pas beaucoup, poursuivit-elle. Je sais que vous aimez le risotto aux pois verts et à la moelle, la cannelle, le magret de canard aux pêches, le golf, votre fils Vincent et votre travail. Je vous vois pourtant depuis des années au restaurant. Pourquoi sait-on si peu de choses sur les gens qu'on aime bien ?

Il sourit, il en savait encore moins sur elle.

— Vous êtes très discrète.

— Je n'ai rien à raconter, affirma-t-elle. Ma vie se passe au restaurant.

— Tout le monde a quelque chose à raconter. D'où venez-vous ?

— De Québec, mais il y a longtemps que j'habite à Montréal.

— J'ai habité à Québec. J'ai fait mes études de droit à l'Université Laval. J'avais une chambre dans le quartier latin, rue Christie.

— C'est incroyable ! s'exclama Louise. Je demeurais rue Sainte-Monique. Puis rue Sainte-Angèle.

— J'allais souvent manger au Biarritz.

— Nous nous sommes sûrement croisés là. J'adorais le poulet basquaise.

— Non, vous êtes trop jeune. J'ai quitté Québec pour Boston alors que vous n'étiez même pas majeure.

— J'ai cinquante ans, avoua Louise avec un sourire à la fois espiègle et provocateur qui surprit agréablement le juge.

Comme c'était reposant d'entendre une femme accepter son âge sans faire de chichis. Il en avait marre de rassurer Judith, de voir la collection de crèmes de beauté grossir au fil des ans. D'écouter Bianca se plaindre que ses seins étaient trop lourds, qu'ils finiraient par tomber. Elle avait trente ans, un corps parfait, que pouvait-elle souhaiter de plus ? Qu'il lui répète qu'elle était belle. La plus belle. Qu'il ne regarderait pas une autre femme. Ne comprenait-elle pas que sa jalousie l'énervait? Qu'il en avait eu assez de complimenter Judith durant vingt ans sans devoir recommencer avec elle? L'indifférence de Louise au sujet de son âge était d'une telle fraîcheur.

— Vous ne les faites pas.

Il hésita puis déclara que, étant quasiment du même âge, ils pourraient se tutoyer.

— Je ne suis pas certaine d'y parvenir, Roland...

C'était la première fois qu'elle prononçait son nom de cette manière sensuelle, s'attardant sur la dernière syllabe. Il lui sourit, elle l'imita. S'il savait à quel point ce prénom l'agaçait, lui rappelant la disparition d'un autre Roland, à Québec. Elle n'avait aucun plaisir à s'en souvenir, ce n'était d'aucune utilité. Elle ne pouvait pas utiliser la même méthode pour exécuter le juge. Elle devait recréer une situation qui semblerait naturelle, comme cela avait été le cas pour Roland Ier, qui s'était écrasé dans la cour, ou pour André Lalancette. Qu'est-ce qui collait à la personnalité de Roland Ellis? À quoi occupait-il ses loisirs? Était-il souvent seul ou avait-il besoin d'une meute d'amis?

— Vous jouez...

— Tu, la corrigea-t-il. on a dit qu'on se tutoyait.

Louise se garda de relever le fait qu'il avait pris la décision tout seul.

— Tu joues souvent au golf?

— Chaque mercredi. J'aime couper la semaine en deux. Et c'est plus tranquille que la fin de semaine.

— Vous... tu joues toujours avec les mêmes partenaires?

— Oui, mais je n'ai rien contre l'idée de jouer avec de nouvelles personnes. Tu aimerais ça!

— Ça déplairait peut-être à tes partenaires... Une débutante leur ferait perdre du temps. Tu ne dois pas...

— J'ai le droit de jouer avec qui je veux, rétorqua-t-il comme elle le souhaitait. D'inviter qui je veux. Au golf ou ailleurs.

Il posa son verre vide sur la table, héla le serveur qui s'approcha aussitôt.

— On pourrait commander un petit truc à grignoter. Je parie que tu as faim ?

— Tu sors de table ! Tu es un vrai gourmand !

Elle avait dit ça avec un sourire approbateur.

— Du foie gras ?

— Je sais que tu adores ça, mais je ne suis pas très fana de foie gras…

— C'est impossible ! Je pensais que tu n'avais aucun défaut !

— Tu ne me connais pas.

— Je ne souhaite que cela. Une autre coupe ?

— C'est exagéré…

— Louise, voyons, si on ne fait pas de folies à notre âge, quand en fera-t-on ?

Elle haussa les épaules dans un signe d'abandon. Après cette deuxième consommation, elle pourrait prétendre qu'il avait trop picolé pour la raccompagner chez elle. Il protesterait, elle lui rappellerait l'apéro, puis le vin bu chez Carte Noire. Elle lui suggérerait même de l'imiter et d'appeler un taxi pour rentrer à la maison.

— Il paraît que…

Louise laissa la phrase en suspens tout en s'étirant le cou, cherchant à faire croire à Roland Ellis qu'elle avait aperçu une connaissance. Il suivit son regard vers la porte d'entrée du Ritz.

— Qu'est-ce qu'il y a ?

— J'ai cru voir Michel Dion.

— Michel Dion ?

Roland Ellis avait sursauté et se redressait déjà pour vérifier si elle avait raison. Il semblait contrarié. Allait-elle en apprendre plus sur cet homme?

— Vous vous connaissez? commença-t-elle sur un ton affirmatif.

— Pas vraiment, répondit Roland en la dévisageant, cherchant à deviner si cette question était innocente ou non.

Louise lui parlait peut-être de Michel Dion simplement parce qu'elle s'intéressait à ce nouveau client. Peut-être avait-elle remarqué qu'ils s'étaient vaguement salués quand ils étaient tombés l'un sur l'autre au restaurant. Comment pourrait-elle connaître le lien qui l'unissait à Michel Dion? Elle ne travaillait pas encore chez Carte Noire quand il avait acheté un faux Pollock, vendu par Dion avec des certificats d'authenticité. Alors procureur de la Couronne, Roland avait eu envie de le dénoncer aux autorités, mais il s'était ravisé. Dion lui serait plus utile là où il était, dans l'univers des criminels. Par lui, il en apprendrait davantage sur leurs mouvements, sur les opérations de blanchiment d'argent. Il pourrait préparer ses interrogatoires et ses plaidoiries avec une longueur d'avance sur l'avocat de la défense.

Sa collaboration avec Dion avait été épisodique. Il était conscient qu'il ne devait se servir de lui que dans certaines limites. Mais il avait récolté assez d'informations pour servir sa carrière, et ses succès lui avaient valu d'être nommé juge. Lorsqu'il avait croisé Dion au restaurant, il ne lui avait pas parlé depuis des mois. Il n'avait plus besoin de ses services. Il aurait pu continuer à exiger des renseignements, mais il aurait gâché son plaisir à siéger. C'était beaucoup plus distrayant d'ignorer quels éléments allaient présenter les avocats des deux parties et de rendre son jugement selon leurs performances. Il pouvait dire en toute sincérité qu'il était totalement impartial, comme l'exigeait son rôle.

— Je croyais que vous… que tu étais allé à sa galerie d'art, mentit Louise.

— C'est Michel Dion qui t'a raconté ça ? s'étonna Roland.

— Non, non, il ne m'a pas parlé de toi, mais…

— Je n'ai rien à voir avec lui. Nous ne fréquentons pas le même monde, mais il va voir toutes les expos. Comme moi. On se croise à l'occasion.

Il se rappela avec déplaisir l'avoir rencontré au vernissage de Deborah Hilderbrand à New York. Bianca l'accompagnait et il avait noté le sourire narquois de Dion lorsqu'il était passé près d'eux.

— J'espère néanmoins qu'il ne deviendra pas un habitué de Carte Noire. C'est un prétentieux.

— C'est vrai qu'il a gagné beaucoup d'argent avec une société de multimédia ? s'enquit Louise.

Elle songeait que le juge semblait trop troublé par Michel Dion pour le connaître aussi peu qu'il l'affirmait. Quel était leur lien ? Dion était bel homme. Lui aurait-il soufflé certaines conquêtes ?

Roland Ellis fixa les glaçons qui fondaient dans son verre.

— Une société de multimédia ? Je ne sais pas. Mais n'importe qui peut fonder une société. On peut inaugurer des boîtes et des galeries pour les fermer six mois plus tard, en ouvrir d'autres, déplacer des capitaux…

— Ce serait un fraudeur ?

— Je n'ai pas dit ça, protesta mollement Roland. Parlons plutôt de toi. Vas-tu souvent à Québec ?

— Parfois, mentit Louise. Pourtant, j'aime cette ville !

— On pourrait s'y retrouver. Marcher dans les rues de notre jeunesse. Aller au musée, il y a une exposition sur les peintres russes actuellement. T'intéresses-tu à l'art ?

— C'est donc vrai que tu es un collectionneur averti ?

— C'est Judith qui t'a raconté ça ?

— Vous avez parlé de Tiffany, un soir. J'ai vu l'exposition au Musée des beaux-arts de Montréal, il y a trois ans. C'était splendide !

— Mon père avait acquis un vitrail de cet artiste, il y a une quarantaine d'années. Il l'a racheté à un concurrent en faillite.

— Ton père était très riche. Tu n'as pas eu envie de suivre ses traces ?

— Il voulait que je sois avocat, dit-il avant de boire une gorgée de scotch. Sa mère a dû l'élever seule après l'assassinat de mon grand-père. Il a été tué parce qu'il avait refusé la protection de son restaurant. Ça se passait à Detroit, il y a longtemps. J'aime le droit, mais je pense que j'aurais été un bon homme d'affaires et…

Roland Ellis s'étouffa en voyant Bianca Esposito pousser la porte d'entrée du Ritz. Louise suivit son regard, détailla la jeune femme qui portait une robe sable très moulante. Jolie. Très jolie. À ne pas négliger. Elle était accompagnée d'un homme vêtu de cuir des pieds à la tête, visiblement efféminé. Elle lui désignait un coin derrière le bar quand elle aperçut Roland. Elle ouvrit la bouche, déglutit avant de foncer vers eux. Elle fronça les sourcils en constatant que Louise était plus âgée qu'elle ne l'avait cru. Prudence : Roland était peut-être avec quelqu'un du Barreau, comme il le lui avait dit. Il était tard pour traîner avec une collègue, mais bon…

— Je ne pensais pas te trouver ici, fit-elle en tendant sa main à Louise pour forcer Roland à la lui présenter.

— Louise Desbiens, qui est associée chez Carte Noire.

— Le restaurant ? Tu m'avais dit que tu étais avec quelqu'un du Palais ! Que tu…

— Il voulait vous faire une surprise, la coupa Louise avant de poser la main sur sa bouche comme si elle avait révélé un secret.

— Une surprise? s'écria Bianca. Pour moi?

Louise se leva, désignant son fauteuil à la jeune femme, expliquant que tout était réglé et qu'elle devait rentrer.

— Je vous rappellerai pour les détails, M. Ellis.

Roland hocha la tête, impuissant, se demandant comment le déroulement de la soirée avait pu à ce point lui échapper. La main baguée de Bianca serra son avant-bras dans un signe de possession. Il se sentit soudain très las. Mais plein d'admiration pour la présence d'esprit de Louise. Une femme intelligente, vraiment, avec qui il avait du plaisir à converser. Et elle avait de fort jolies jambes, elle devrait porter des robes plus courtes. D'un autre côté, une jupe plus longue conférait une certaine austérité qui lui allait bien. Comme ses cheveux relevés en chignon bas sur la nuque qui donnait irrésistiblement envie de les détacher…

— Tu te souviens d'Alex, mon cousin? fit Bianca en désignant son compagnon. Il était à la soirée la semaine dernière. Qu'est-ce qu'on boit?

* * *

Jeudi, 20 juin 2013, 01 h 25

L'air frais de la rue saisit Louise qui s'engouffra aussitôt dans un taxi, ravie de rentrer enfin chez elle. Elle enleva ses chaussures avec un soulagement délicieux, se dirigea vers la cuisine où l'attendaient Freya et Melchior.

— Je sais que j'arrive tard, mais c'est pour une bonne cause. Je m'ingénie à garder notre maison. Si vous saviez tout ce que j'endure pour vous, mes chéris !

Le cliquetis de l'ouvre-boîte fit miauler encore davantage les chats qui se frottaient aux chevilles de Louise. Elle déposa du thon dans chacune des gamelles, hésita, puis ouvrit le réfrigérateur, prit la bouteille de Saint-Bris et s'offrit un demi-verre de ce sauvignon au parfum de cassis. Malgré l'heure tardive, elle l'avait bien mérité.

Croiser la maîtresse de Roland Ellis ne faisait pas partie de ses plans, mais elle était contente de savoir à qui elle se mesurait. Bianca avait compris, comme elle, que la flatterie était la meilleure méthode avec Roland. Toutefois, Louise était persuadée que Bianca le laissait la combler de cadeaux, alors qu'elle-même avait déjà montré ses positions. Elle avait accepté que le juge lui offre deux coupes de champagne, point final. Roland devait être intimement persuadé que c'était son intelligence, sa conversation qui lui permettraient de la séduire. Il était si facile de plaire à une femme en lui offrant des fleurs, des macarons et des bijoux. Louise lui ferait comprendre qu'elle plaçait la barre plus haut. Le triomphe n'en serait que plus mérité. Plus enivrant. Elle devait lui donner l'impression qu'il était spirituel, original, qu'elle voyait quelque chose en lui que n'avaient pas vu les autres femmes.

Dans le cas de Bianca, il était évident qu'elle ne se serait jamais intéressée à Roland sans sa fortune. Louise, de ce côté-là, était parfaitement sincère et Roland le percevrait rapidement : ce n'était pas son argent qui l'intéressait. Enfin, tant que Judith n'en aurait pas hérité.

Louise sirota son verre de vin en formulant ses hypothèses à haute voix. Où pourrait-elle donc tuer Roland ?

— Au golf? Qu'en pensez-vous, mes chéris? Est-ce qu'il y a des caméras sur les parcours de golf? Chez lui?

Elle connaissait le code du système d'alarme, si nécessaire. Mais que ferait-elle si Judith faisait irruption? Les gens qui regardent les séries télé ne s'imaginent pas à quel point il peut être compliqué de tuer quelqu'un qui a femme et enfant. Bon sang! Elle ne devait pas non plus oublier Vincent!

Louise soupira, se demandant comment obtenir des informations sur Michel Dion. Il était clair que Roland ne lui était pas sympathique. Dans quelle mesure? Est-ce que la disparition du juge Ellis l'accommoderait? Dans ce cas, elle pourrait se faire payer par lui aussi…

Peut-être qu'elle serait propriétaire de l'immeuble d'ici la fin de l'été. Elle y resterait pour toujours, plus personne, jamais, ne la dérangerait. Il lui faudrait néanmoins attendre trois ou quatre ans avant de prendre sa retraite, ne rien changer à son quotidien pendant un certain temps. Elle ne devrait attirer l'attention sous aucun prétexte. Les enquêteurs qui l'avaient interrogée après la mort d'André Lalancette ne s'étaient douté de rien à son sujet. Mais son nom apparaîtrait sûrement dans les rapports des policiers qui mèneraient l'enquête sur le décès de Roland. On questionnerait la famille, puis les amis, les voisins et les gens qui l'avaient vu les jours précédant sa mort. On saurait qu'il venait souvent chez Carte Noire. Des enquêteurs passeraient au restaurant. Noteraient les noms du propriétaire, de son associée, du chef, des employés. Ils entreraient les données recueillies dans leur système. On repenserait au nom de Louise, apparu quelques semaines plus tôt dans une autre enquête. Elle devait être très prudente, observer la même routine, se faire oublier.

* * *

Vendredi, 21 juin 2013, 16 h 30

Vincent Ellis regardait les photos de Bianca Esposito défiler sur l'écran de l'ordinateur de son père. Il était injuste que ce soit lui qui partage le lit de cette femme ! Vincent détaillait ses seins, son ventre plat, ses jambes interminables, sa chevelure dorée en bandant, en s'imaginant avec elle. C'était injuste, vraiment ! Tout ça parce que Roland Ellis était riche, qu'il pouvait offrir des cadeaux somptueux à cette Bianca qui n'endurait sûrement son père que pour ses présents. Sans argent, Roland Ellis n'aurait jamais intéressé une telle femme.

« Son *cash,* son maudit *cash* qui lui permet de tout faire », marmonna Vincent en agrandissant une des photos où Bianca était en maillot de bain noir. Maillot qu'il avait dû acheter chez Holt Renfrew. Il achetait tous ses cadeaux chez Holt Renfrew, que ce soit pour sa femme ou pour sa maîtresse. Mais pas pour la mère de son enfant. Sandra n'avait pas droit aux bijoux ou aux pashminas, seulement au chèque mensuel. Assez élevé, semblait-il, pour qu'elle ait accepté de vivre sans lui aux États-Unis. C'était son maudit argent qui l'avait séparé de sa mère. Il le détestait. Il la détestait. Il les détestait tous ! Il rêvait parfois qu'il saisissait le buste de la déesse Thémis qui trônait dans le salon et assommait son père avec ces dix kilos de bronze. L'incarnation de la justice rendant son verdict en sa faveur.

Vincent ne se doutait pas que Judith y avait souvent songé au cours des dernières semaines, qu'elle s'était demandé si elle pouvait fracasser le crâne de Roland et maquiller ensuite le meurtre. Si elle brisait la porte-fenêtre qui donnait sur la cour, on penserait qu'un rôdeur avait commis le crime. Ce qui l'avait retenue de passer à l'acte, c'est le souvenir des paroles de Roland. Il avait un jour commenté l'assassinat d'un bijoutier par son neveu, avait ricané en disant qu'il avait été idiot de croire qu'il tromperait les enquêteurs en simulant un vol. Trafiquer une scène de crime était bien plus compliqué qu'on ne le laissait croire dans les séries télévisées. Un détail finissait toujours par trahir l'amateur…

* * *

ÉPISODE 7

Mercredi, 26 juin 2013, 7 h 30

Mélissa Comtois-Fortier attendait sa mère depuis cinq minutes dans la voiture. En regardant tomber la pluie, elle se demandait comment se déroulerait sa première journée de travail. Elle se pencha vers le volant, klaxonna, jeta un coup d'œil dans le rétroviseur. Ça y est, Dorothée se décidait enfin à quitter la maison. Victor lui tendait son sac à lunch pendant qu'elle ouvrait son affreux parapluie rose fuchsia à pois blancs. Pourquoi Dorothée éprouvait-elle autant d'attrait pour les couleurs trop vives ? Les parents de Dorothée avaient pourtant un semblant de goût. Ils s'habillaient convenablement, comme la plupart des gens normaux, alors que Dorothée portait ce matin-là une salopette violette avec des ballerines vert pomme. Jamais sa mère ne se ferait renverser par une voiture…

Est-ce que Victor était daltonien ? Il complimentait si souvent Dorothée sur son habillement, c'en était lassant. Comme tous ces petits mots qu'ils glissaient sous les cœurs magnétiques collés sur le frigo, leur manie de se serrer l'un contre l'autre à la moindre occasion, les regards enamourés qu'ils se jetaient lors des repas. Ils étaient vraiment ridicules. Sa mère disait même que Victor était un bel homme ! Franchement, elle avait besoin de lunettes.

Elle devrait voir Vincent Ellis et comparer: lui, il était vraiment beau. Mais Dorothée ne le rencontrerait jamais, car jamais il ne viendrait à la maison. Jamais il ne lui adresserait la parole. Et c'était mieux ainsi, songea-t-elle avec amertume, car c'était le pire des snobs, un menteur et un voleur. Elle avait raison de préférer aux humains les insectes si captivants, si novateurs. Certaines espèces vivaient sur terre depuis des millions d'années! Elle était très consciente que son intérêt pour l'entomologie lui valait au collège une réputation de fille trop étrange pour être admise dans un groupe social, mais franchement que pouvait-elle y faire? Elle aimait mieux fréquenter la bibliothèque que magasiner en parlant des garçons. De toute manière, personne ne la regardait.

Elle savait qu'elle n'irait pas au bal des finissants et elle en avait vraiment marre d'entendre Ophélie et Mina discuter de leurs robes de soirée et de leurs cavaliers. Oui, elles seraient les plus belles. C'était réglé, décidé, pouvait-on passer à autre chose? Dorothée lui répétait qu'elle était très jolie, que son seul problème venait de sa trop grande réserve, qu'elle devait aller vers les autres, qu'elle se découvrirait sûrement des points communs avec ces adolescentes qu'elle évitait. Dorothée se trompait. C'étaient elles qui la fuyaient. Personne ne souhaitait être ami avec la meilleure élève du niveau.

— Tu verras, fit Dorothée en bouclant sa ceinture de sécurité, tu apprendras de cette expérience chez Carte Noire. Tout ce qu'on apprend dans la vie nous sert un jour ou l'autre.

Mélissa ne voyait pas comment couper des légumes allait nourrir sa passion pour les araignées (même si elles n'étaient pas à proprement parler des insectes), mais elle voulait une mobylette et devait gagner des sous pour se l'offrir. Travailler chez Carte Noire ou ailleurs, peu lui importait, pourvu qu'elle ramasse assez d'argent. De toute façon, à seize ans, il n'y avait pas tant d'emplois d'été qui s'offraient à elle. Et l'ex de Victor ne pourrait pas être trop sévère avec elle, non?

Elle se rappelait vaguement cette femme, rencontrée l'année précédente, qui l'avait intriguée: elle était si différente de Dorothée. Comment deux femmes aussi dissemblables avaient-elles pu s'éprendre du même homme? Mélissa n'imaginait pas du tout Louise avec Victor. Elle avait un regard si perçant. Elle rappelait à Mélissa les mouches et leur vision périphérique. On avait l'impression qu'elle voyait tout ce qui se passait dans le restaurant d'un seul coup d'œil. Les clients, la cuisine où officiait le chef italien, le garde-manger, le vestiaire, les toilettes. Tout.

— À ton âge, je gardais des enfants depuis quatre ans, poursuivait Dorothée, et je…

— Ça t'est utile aujourd'hui avec les gamins dont tu t'occupes pour la DPJ, je sais.

— Tu n'as jamais voulu garder des enfants.

Surtout pas! N'importe quoi d'autre comme emploi d'été! Les enfants étaient tellement bruyants.

— Couper des légumes et éplucher des pommes de terre ne sera peut-être pas excitant, mais au moins tu…

— C'est bon, maman. Ça me convient. Je veux une mobylette. Je fais ce qu'il faut pour la payer. On ira l'acheter samedi?

— Oui, oui. Je sais que tu me rembourseras, tu es une fille fiable. Mais essaie de montrer un peu d'enthousiasme lorsqu'on arrivera au restaurant. C'est ta première chance dans la vie. Tu commences à voler de tes propres ailes.

Mélissa ferma les yeux. Elle aurait bien aimé avoir les ailes des libellules. Ou celles, ocellées, du papillon de lune. Des ailes qui l'auraient emportée loin de la maison. Loin de la jovialité épuisante de Dorothée. De l'affection envahissante de Victor. Heureusement, Dorothée était enceinte et, d'ici quelques semaines, elle serait si occupée par le bébé qu'elle cesserait de vouloir absolument lui prouver que sa venue n'allait rien changer entre elles, qu'elle l'aimerait toujours autant.

— Tu sais, Louise n'est pas très bavarde. Elle ne parlera pas beaucoup avec toi, mais ça ne signifiera pas pour autant qu'elle ne t'apprécie pas.

Mélissa hocha la tête en espérant que sa patronne conserverait cette attitude réservée. Dorothée trouva à se garer devant le restaurant, mais au moment où elle détachait sa ceinture, Mélissa la pria de rester dans la voiture.

— Je ne suis plus un bébé, tu n'as pas à m'accompagner pour rencontrer Louise.

— Je veux simplement la saluer.

— Ou lui montrer ton gros ventre ? Tu crois que c'est délicat, alors que tu sais qu'elle n'a pas pu avoir d'enfants ?

Dorothée pinça les lèvres, faillit protester, dire qu'il faudrait bien que Louise s'accoutume à cette réalité, mais elle se contenta de sourire à sa fille.

— Passe une bonne journée. Téléphone-moi, je viendrai te chercher.

— Je prendrai l'autobus, merci.

— Ne dis pas à Louise que je vais souper au Toqué. Je ne voudrais pas qu'elle pense que je préfère ce resto à Carte Noire. Mon amie Marianne tenait à m'y inviter. C'était délicat de refuser.

— Chanceuse !

— Oui, je vais en profiter, mais sois discrète avec Louise.

De ce côté, rien à craindre, Mélissa n'avait pas l'intention de raconter sa vie à sa patronne. Ni à personne d'autre. Elle n'aimait pas spécialement parler d'elle. De toute manière, il n'y avait rien à raconter. Elle n'avait pas encore découvert l'insecte que personne ne connaissait. Ou que l'on croyait disparu. Et qui changerait le monde scientifique. Ou une partie, au moins. Elle n'avait rien fait de particulièrement intéressant de sa vie, elle était aussi terne qu'une mite. Pas étonnant qu'aucun gars ne la remarque.

L'adolescente se dirigea vers la porte principale qui était entrouverte. Des arômes d'oignon grillé la firent saliver. Louise, assise à une table au fond du restaurant, leva la tête quand elle entendit Mélissa l'appeler par son nom.

— Ah. Tu es arrivée. Ta mère est… ?

— Non. Je lui ai dit de repartir. On n'a pas de temps à perdre. J'ai apporté mon tablier.

Louise dévisagea Mélissa, se félicitant de son peu de ressemblance avec Dorothée. Son laconisme était reposant. Peut-être ne regretterait-elle pas trop d'avoir accepté qu'elle travaille en cuisine pour l'été ? Il faut dire que Guido avait insisté…

— Viens que je te présente au responsable du garde-manger. Il t'expliquera ce que tu dois faire. As-tu des questions ?

— Plus tard, quand j'aurai tout vu.

Un bon point pour elle.

* * *

Mercredi, 26 juin 2013, 16 h

Il pleuvait toujours quand Louise quitta le restaurant à la fin de l'après-midi, mais le ciel se dégageait. Elle traînait probablement son parapluie pour rien et faillit retourner le déposer au restaurant. Elle avait accepté de prendre l'apéro avec Roland Ellis. Il lui avait offert de la retrouver chez Carte Noire, mais elle savait pertinemment qu'il souhaitait la revoir ailleurs.

— Il faut bien discuter de la surprise que je dois maintenant préparer pour Bianca.

— C'est ma faute, je vous ai mis…

— On se tutoie, Louise. Et je ne t'accuse de rien, au contraire. Bianca est très jalouse. Tu as bien réagi en évoquant cette surprise… Je te rejoins au resto ?

— Voyons-nous plutôt au bar de l'InterContinental. Si je reste ici, je serai constamment dérangée.

— Parfait. Je sors du Palais dans quinze minutes. Je t'attends là-bas.

Roland Ellis avait presque terminé son verre de bourbon lorsque Louise le repéra au fond du bar aux murs lambrissés. Il s'extirpa de son fauteuil pour la saluer, s'empressa de faire signe au serveur qui s'avança quelques minutes plus tard avec une bouteille de Dom Ruinart.

— Roland ! On est ici pour travailler !

— Le champagne nous donnera des idées.

— Tu me mets mal à l'aise. Un Dom Ruinart !

Elle réussit à cacher sa satisfaction. Si le juge Ellis était prêt à lui offrir un grand champagne pour l'impressionner, elle arriverait à le manipuler plus vite qu'elle ne l'espérait. Elle rit à ses plaisanteries avant de l'interroger sur Bianca.

Roland Ellis raconta qu'il avait rencontré la jeune femme lors d'une soirée-bénéfice, qu'il avait cédé à son charme, mais qu'il n'y avait rien de sérieux entre eux. Vraiment rien. Elle manquait de conversation, de culture.

— Dans ce cas, tu tiens tout de même à lui faire une surprise ? demanda Louise en s'amusant de voir Roland chercher une explication plausible.

Cet homme lui mentait comme il avait menti à Judith et comme il devait mentir à Bianca.

— Elle semblait tellement heureuse quand elle a entendu le mot « surprise », renchérit Louise.

— Il s'agit seulement de lui organiser une petite fête.

— Pour vous deux ?

Roland posa la main sur celle de Louise en secouant la tête ; il n'en était pas question. Il souhaitait que Bianca fête chez Carte Noire avec ses copines Bénédicte, Nadia, Tania et Laureen.

— C'est son anniversaire la semaine prochaine. Ça tombe bien !

Il souriait, content de sa trouvaille.

Rolland Ellis prétendait n'avoir eu qu'une aventure avec Bianca, mais il connaissait sa date de naissance et le nom de ses amies ?

— Je leur réserverai le salon, elles seront plus à l'aise. Quel âge aura Bianca ?

— Trente ans.

Avant que Louise puisse émettre un commentaire, Roland l'interrogea. Que faisait-elle à trente ans ? À trente ans ? réfléchit-elle. Était-ce l'année où elle avait tué Pierre Bordeleau, le propriétaire de la chatterie ? Non, c'était plutôt l'année où elle avait lardé de coups de couteau cet infâme propriétaire d'une animalerie à Québec, sur les Plaines d'Abraham. Elle sourit à Roland après avoir savouré une gorgée de champagne.

— Je ne me rappelle pas mes trente ans, mais je ne buvais certainement pas de ce sublime nectar ! Les caves de cette maison sont parmi les plus belles de Reims.

— Tu es allée là-bas ? Tu pourrais me donner des adresses. J'ai très envie de découvrir cette région. C'était un voyage… ?

— Professionnel, avec le sommelier du restaurant. Nous avons visité plusieurs maisons pour acheter les champagnes de Carte Noire. Il faut que tu soupes aux Crayères. J'y ai dégusté le meilleur saumon de ma vie. Surtout, ne le répète pas à Guido !

— Promis ! Si on partait là-bas ?

Roland avait dit cela sur le ton de la plaisanterie, mais une curieuse lueur d'excitation brillait au fond de ses yeux.

— Cela me paraît précipité, répondit Louise en le dévisageant. Tu ne sais rien de moi et tu penses que j'accepterais de jouer les seconds ou les troisièmes violons ? Je n'ai plus vingt ans, ni même trente. Je déteste les complications. Tu as une maîtresse et tu n'es pas divorcé…

— Ça ne tardera pas !

— Vraiment ?

Judith se trompait donc en pensant que son mari ferait traîner les démarches pour leur divorce ? Ou Roland mentait-il encore ?

— J'aime que les choses soient transparentes. J'aime l'honnêteté.

Louise s'étonnait elle-même de proférer autant de mensonges sans se troubler. Elle prit une longue inspiration avant de repousser légèrement son fauteuil.

— Je crois que j'ai fait une erreur en venant ici. En acceptant ce verre de champagne. Je ne suis pas à ma place.

Elle faisait mine de se lever lorsque Roland attrapa son poignet pour la retenir d'un geste brusque qui les surprit tous les deux. Elle fixa la main du juge sur la sienne et il la retira en s'excusant, troublé de tenir autant à cette femme. Que lui arrivait-il ? Comment pouvait-il préférer Louise à Bianca ?

— Je vais arranger les choses.

— Tu ne me connais pas, Roland.

— Mais justement, c'est ce que je veux, apprendre à te connaître.

Louise fit semblant de réfléchir avant d'esquisser un demi-sourire. De toute manière, il fallait parler de cette surprise qu'il réservait à Bianca, non ? Budget, menu, attentions spéciales, date, lieu et heure.

— Ça va ?

— Oui, oui, dit Louise. J'essayais d'imaginer un endroit pour ce souper de fête.

— Ne m'avais-tu pas parlé du petit salon au resto ?

— C'est peut-être trop banal. Laisse-moi trouver le lieu idéal.

— Je te fais confiance. Parlons d'autre chose. De toi, par exemple.

Louise se demandait jusqu'à quel point elle pouvait s'inventer un passé. En sa qualité de juge, Roland Ellis avait des contacts avec des enquêteurs. S'il lui prenait l'envie de vérifier ce qu'elle lui racontait ? Était-elle prudente ou paranoïaque ? Un peu des deux, probablement. Roland n'avait pas encore demandé à ses amis de fouiller dans son existence, il ignorait qu'elle avait été mêlée à un crime. Elle décida de prendre les devants.

— Je n'ai pas quitté Québec de gaieté de cœur, murmura-t-elle, obligeant Roland à se pencher vers elle pour mieux l'entendre.

— Que veux-tu dire ?

Louise poussa un long soupir, termina sa coupe de champagne pour indiquer qu'elle cherchait à se donner du courage pour continuer à parler. Roland saisit aussitôt la bouteille, remplit leurs verres.

— J'étais bien, à Québec, jusqu'à ce que j'aie des problèmes avec mon voisin.

— Quels problèmes ?

— Tu n'as jamais entendu parler des meurtres de l'hiver 1982 ? Un tueur en série dans les rues de la capitale…

Roland fronça les sourcils, bien sûr qu'il s'en souvenait. Il avait raccompagné chaque soir chez elle sa petite amie de l'époque. Ses craintes l'avaient quasiment poussée dans ses bras et Roland avait été presque déçu lorsque le meurtrier avait été arrêté.

— Tu parles du meurtrier qui faisait semblant d'être handicapé ?

— C'était mon voisin. Il a failli me tuer.

— Quoi ?

— Ces gens-là ont aussi des voisins, dit Louise. Avec mon ex-mari, nous avons été mêlés à cette histoire. Nous avons fini par déménager. Je n'aimais plus du tout notre appartement. Je voyais le fantôme de Roland partout.

Elle se tut durant quelques secondes avant d'ajouter qu'il s'était écrasé dans la cour de leur immeuble. Tombé du dernier étage. Mort sur le coup.

— Je n'en parle jamais, fit-elle avant de reprendre son verre, mimant le désarroi.

— Ça devait être terrible, tu étais jeune…

— Et toi, pourquoi as-tu quitté la capitale ?

Roland but à son tour avant de répondre qu'il n'y avait pas de tragédie derrière ce changement. On lui avait simplement offert un poste dans un cabinet d'avocats de Montréal et il avait accepté.

Louise l'amena à raconter sa vie, lui faisant préciser certains détails comme si son existence était passionnante. Quand le serveur revint vers eux pour savoir s'ils désiraient autre chose, elle se montra surprise de constater que la bouteille était vide, alors qu'elle attendait ce moment pour enfin se séparer de Roland. Comment Judith avait-elle pu rester toutes ces années avec un type aussi ennuyant, aussi imbu de lui-même ? Elle eut une pensée pour Bianca ; il fallait qu'elle aime vraiment l'argent pour accepter de passer du temps avec le juge.

— Je me sauve, dit-elle. Je dois retourner au restaurant. Je te rappelle cette semaine à propos de la fête.

— Tu peux me joindre n'importe quand.

— Même si tu joues au golf ?

— En tout temps. Mais le mieux serait que tu m'accompagnes au golf. Et que tu me prêtes ce livre dont tu m'as parlé. *Rêves de golf*, c'est bien le titre ?

— Demain, sans faute ! promit-elle. Tu passeras au resto ?

— Je peux te ramener chez Carte Noire, si tu veux.

— Non, je ne tiens pas à ce que le personnel nous voie ensemble. J'ai une réputation et j'y tiens. Je n'ai jamais accepté de sortir avec un client auparavant, tu le sais... Restons discrets.

La mine conspiratrice de Louise excita Roland : il avait marqué des points, elle avait renoncé à ses principes pour lui. Il lui sourit en lui demandant la permission de l'accompagner au moins jusqu'à la porte de l'hôtel. Elle éclata d'un joli rire frais, plein de promesses.

Sur le trottoir devant l'hôtel, sous les drapeaux multicolores, à côté des calèches qui attendaient les touristes, Roland se pencha vers Louise pour lui faire la bise, mais chercha ses lèvres. Elle détourna la tête avec ces quelques secondes de retard qui devaient trahir un désir secret. Quelques secondes qui feraient croire à Roland qu'elle allait lui céder.

* * *

Mercredi, 26 juin 2013, 18 h 30

Quelques secondes qui pouvaient donner l'impression à quiconque les voyait ensemble qu'ils venaient d'échanger un baiser. C'est du moins ce que s'imagina Dorothée qui attendait son amie Marianne, place Jean-Paul-Riopelle. Elle avait failli héler Louise lorsqu'elle l'avait reconnue, de l'autre côté de la rue Saint-Antoine, mais elle avait retenu son cri en voyant l'homme qui la suivait se pencher vers elle pour l'étreindre.

Louise était amoureuse ! Qui était l'heureux élu ? Dorothée suivit des yeux l'inconnu aux tempes grisonnantes qui s'éloignait vers la Place d'Armes. Il lui semblait vaguement familier, mais elle était trop loin pour distinguer ses traits. Elle voyait cependant qu'il n'était pas très grand, un peu fort, mais très bien habillé. Elle avait aperçu la touche turquoise de sa cravate quand il s'était détaché de Louise. Et Dorothée avait noté qu'il s'était retourné par deux fois pour vérifier si Louise en faisait autant, mais celle-ci s'était dirigée dans la direction opposée en marchant d'un pas pressé.

Dorothée jeta un coup d'œil à sa montre : presque 18 h. Louise devait se rendre chez Carte Noire après avoir partagé des moments de bonheur avec son amoureux. Quand elle raconterait ça à Victor ! Elle tourna la tête en entendant Marianne l'appeler, s'exclamer en lui passant une main sur le ventre. Comme elle aimait être enceinte ! Et maintenant que Louise avait quelqu'un dans sa vie, elle ne se sentirait plus coupable de lui avoir volé Victor. D'être enceinte, d'être heureuse. Quelle belle journée ! Quelle bonne idée avait eue Marianne de l'inviter dans ce quartier où elle ne venait jamais. Quelle belle soirée elle vivrait au Toqué !

* * *

Mercredi, 26 juin 2013, 18 h 30

Toute à sa satisfaction d'avoir berné Roland par un baiser, Louise se dirigea vers la station de métro Square-Victoria sans s'apercevoir que Dorothée était immobile, tétanisée, à quelques mètres de là. Et que Bianca Esposito la suivait...

Bianca s'était souvenue du commentaire d'Alex à propos de Louise quand ils avaient quitté le Ritz. Elle avait une classe folle ! Une élégance si naturelle ! Cet enthousiasme avait éveillé la méfiance de Bianca. Peut-être que Louise avait pris un verre avec Roland pour organiser la surprise qu'elle avait évoquée. Mais, dans ce cas, pourquoi Roland ne l'avait-il pas rencontrée chez Carte Noire ? Louise se déplaçait-elle pour chacun des clients qui envisageaient de s'offrir les services de traiteur du restaurant ? Peut-être que oui, peut-être que non... Elle était vieille, évidemment, mais elle avait beaucoup d'allure. Il ne fallait pas la sous-estimer.

Ni elle ni le juge. Roland pouvait bien courir deux lièvres à la fois. Elle ne devait rien laisser au hasard. Elle était quasiment débarrassée de l'épouse, ce n'était pas le temps de tout gâcher par négligence. Elle y avait pensé, à Toronto, durant les séances de photo qui l'avaient maintenue éloignée durant ces derniers jours. Elle devait vraiment en savoir plus sur Louise Desbiens. Bianca avait ainsi décidé de s'installer dans sa voiture à proximité de Carte Noire et d'attendre que Louise en ressorte. La journée avait été longue et elle avait failli abandonner, mais Louise avait quitté le restaurant à la fin de l'après-midi pour sauter dans un taxi et se rendre à l'hôtel InterContinental. Puis en ressortir avec Roland. Qui l'embrassait devant les caléchiers ! Alors qu'il avait toujours été si prude en public ! Qu'est-ce que ça signifiait ? Venaient-ils de faire l'amour ensemble à l'hôtel ?

« Merde ! Elle se dirige vers le métro », gémit Bianca tout en se félicitant d'avoir mis ses mocassins Géox au lieu de ses chaussures Prada aux talons compensés qui ne lui auraient pas permis de courir et de maintenir juste ce qu'il fallait de distance entre elle et Louise. En la voyant pousser les portes de la station Square-Victoria, elle sortit de son sac la casquette noire qu'elle avait chipée à Alex, y dissimula sa flamboyante chevelure après l'avoir torsadée en un chignon serré. Pour une fois, elle préférait ne pas attirer l'attention.

Elle hésita à se glisser dans le même wagon que Louise, mais si elle grimpait dans le wagon voisin, elle devrait sortir à chaque station pour vérifier si Louise s'y arrêtait aussi. Elle saisit un exemplaire du journal *Métro* et le tint devant elle pour observer Louise qui s'était assise et vérifiait les messages sur son téléphone. En avait-elle de Roland ? En espérait-elle ?

Comment Roland pouvait-il la préférer à elle ? Bianca admettait que Louise était bien conservée, mais de là à coucher avec elle ! À s'afficher dans la rue en l'embrassant ! Si près du palais de justice ? C'était ce détail qui inquiétait le plus Bianca. Roland avait étreint Louise dans le quartier où il travaillait, où il risquait de croiser des collègues à tout moment. Avait-il perdu la tête ?

Et son divorce ? Qu'en était-il de son divorce ? De Judith ? Elle était en croisière, Roland le lui avait dit. Mais s'il profitait de son absence pour batifoler avec une autre vieille, pourquoi avait-il prétendu, voilà quelques semaines, que l'absence de Judith leur permettrait de se voir plus facilement ? Et de préparer la séparation. Lui mentait-il autant qu'elle lui mentait ?

Bianca commençait à douter de tout et ce sentiment nouveau pour elle lui déplaisait infiniment. Elle poussa un soupir de soulagement quand Louise se leva pour descendre à la station Laurier. Elle n'allait pas au restaurant. Il fallait maintenant croiser les doigts pour qu'elle se rende chez elle. Louise emprunta une rue calme, longea un parc où elle s'arrêta quelques minutes pour regarder jouer les chiens, puis tourna à gauche, puis à droite avant de s'arrêter devant un immeuble ancien. Elle ouvrit son sac à main, prit ses clés et pénétra dans le hall d'entrée.

Bianca attendit un moment avant de s'approcher de l'immeuble pour regarder à travers la porte vitrée : six boîtes à lettres, quatre étages. Même pas deux locataires par étage ? Les appartements étaient sûrement très grands. Louise devait bien gagner sa vie au restaurant. Mais elle pouvait rêver comme elle d'un penthouse ou d'une maison à la campagne semblable à celle que possédait Roland Ellis. Ou de l'appartement à Paris. Ou de celui en Floride. Bianca avait tellement hâte de quitter Montréal !

Deux hommes vêtus de longs pardessus noirs, portant des chapeaux étranges, fuirent son regard, tout comme les femmes habillées dans des couleurs fades que Bianca avait toujours bannies de sa garde-robe. Comment pouvait-on porter des collants miel doré et des jupes à mi-mollet ? Alors qu'un top en soie imprimé léopard avec des paillettes dorées autour de l'encolure l'attendait chez Lyla ? Elle résista à l'envie d'aller faire les boutiques de la rue Laurier et s'assit sur un banc dans le parc en face de chez Louise. Elle devait réfléchir et trouver un moyen de s'en débarrasser.

* * *

ÉPISODE 8

Jeudi, 27 juin 2013, 18 h

Dorothée avait mis les napperons en bambou sur la table de la terrasse et disposait les marguerites qu'elle avait achetées en rentrant du supermarché. Elle avait préparé une fondue chinoise, le plat idéal pour une femme enceinte puisqu'elle s'assurait elle-même de la parfaite cuisson de la viande. Victor, qui l'aimait saignante, y trouverait son compte. Et il serait content de goûter à la sauce au soja et gingembre, qu'elle avait réalisée pour qu'il n'y ait pas que des mayonnaises aromatisées pour accompagner le bœuf. Elle se méfiait des mayonnaises qui pouvaient tourner.

C'était dommage que Mélissa ne soupe pas avec eux, mais, d'un autre côté, Dorothée se réjouissait de cette soirée en amoureux sur la terrasse. Le mauvais temps ne leur avait pas permis d'en jouir, ces derniers jours. Il ferait bon de siroter son jus de canneberge sous le soleil de juin. Elle avait mis une bouteille de Soave au frais pour Victor. Il n'était pas question qu'il se prive de ce plaisir parce qu'elle devait y renoncer provisoirement. Elle n'en avait pas envie de toute manière.

Elle entendit son pas, se tourna vers lui, radieuse.

— N'est-ce pas merveilleux ? Nous allons souper dehors !

— Reste assise, je m'occupe de tout.

Dorothée eut un regard attendri pour son mari. Il était aux petits soins avec elle, toujours soucieux de son bien-être.

— Il fait beau, on en profite. J'ai une grande nouvelle à t'annoncer !

L'air réjoui de sa femme aurait dû rassurer Victor, mais il retint son souffle alors que Dorothée lui disait combien elle avait été tentée de tout lui raconter, la veille, quand il lui avait téléphoné d'Ottawa où il était allé avec ses élèves.

— Une nouvelle ? fit-il.

— Ça concerne Louise.

— Louise ?

— Elle est amoureuse !

Victor dévisagea Dorothée, se pouvait-il que la grossesse obscurcisse son jugement ? « Louise est amoureuse » était un parfait oxymore.

— Je te sers un verre de blanc ? fit Dorothée en attrapant la bouteille dans la porte du réfrigérateur. Viens, on s'installe dehors et je te dis tout.

Dorothée relata les faits dont elle avait été témoin avec enthousiasme. N'était-ce pas une merveilleuse nouvelle ?

— Tout un hasard ! Je ne mets jamais les pieds dans ce quartier ! Sans l'invitation de Marianne, je n'aurais pas vu cet homme avec Louise. On n'aura plus à s'inquiéter pour elle, maintenant qu'elle a rencontré quelqu'un. C'est un cadeau qu'elle me fait ! Il n'y a plus aucun nuage gris pour ternir notre bonheur. Je me demande depuis combien de temps ils se connaissent ? J'aurais aimé ça être plus près et mieux voir son amoureux. Je sais seulement qu'il est de ta grandeur, un peu replet. Très différent de toi.

Victor haussa les épaules, vida son verre, déboussolé. Il n'arrivait pas à imaginer son ex en femme amoureuse.

— Tu n'as pas l'air content ?

— Mais si. C'est juste que Louise m'a toujours dit qu'elle était bien, toute seule.

— Seuls les fous ne changent pas d'idée. On devrait les inviter à souper ici.

— Tu vas trop vite ! Attends au moins que je lui aie parlé. Elle ne sait pas que nous sommes au courant. C'est prématuré.

Dorothée sourit à Victor, reconnut qu'une invitation était peut-être hâtive.

— Je suis si heureuse pour elle ! C'est drôle que Mélissa ne nous ait rien dit.

— Parce que Louise doit être discrète… Elle n'a jamais mêlé sa vie privée à son travail.

— Je sais. Une vraie tombe ! Elle connaît la vie de ses clients, mais n'en parle jamais. Judith m'a raconté qu'elle l'avait raccompagnée chez elle, parce qu'elle avait trop bu, et qu'elle n'y a jamais fait allusion ensuite. Elle est remplie de tact.

— Judith ? Qui est Judith ?

— Judith Ellis, une cliente de Carte Noire avec qui j'ai sympathisé, un soir où j'étais allée souper au restaurant. Nous étions toutes deux voisines de table, seules, et nous avons engagé la conversation. Louise n'était pas là. Elle venait de se blesser au dos en soulevant une caisse de vin, tu te souviens, je t'en ai parlé. Elle s'était fait remplacer pour se rendre chez le médecin.

— Tu sais vraiment tout, toi !

— Grâce à la petite Joanie, une des serveuses. Elle est tellement mignonne ! Donc, j'ai discuté avec Judith. La pauvre, elle est confuse. Elle ne sait pas si elle veut ou non se séparer de son mari qui la trompe. Je lui ai conseillé de prendre du recul. Elle est partie en croisière pour réfléchir.

— Il y en a qui ont de la chance, une croisière ! Mais tu ne devrais peut-être pas trop t'immiscer dans la vie du personnel ou des clients de Carte Noire. Louise n'aime pas qu'on se mêle de ses affaires… Son histoire d'amour, par exemple, tu ne dois pas en parler avec Mélissa.

— Je te ressers du vin tandis que tu vas chercher le caquelon à fondue ? l'interrompit Dorothée pour éviter d'avoir à promettre à Victor qu'elle se tairait.

Il connaissait si peu les femmes ! Une femme amoureuse est toujours heureuse de présenter l'élu de son cœur.

Victor et elle feraient savoir à Louise à quel point ils se réjouissaient pour elle. Ce n'était pas si facile de rencontrer quelqu'un. Dorothée avait des collègues qui vivaient de tristes célibats. Chose certaine, ce type devait aimer les chats. Peut-être même qu'ils s'étaient croisés dans une exposition féline ? Il lui tardait d'en savoir plus !

Victor, dans la cuisine, fixait le caquelon en se demandant comment aborder le sujet avec Louise. Pourquoi était-il si déboulonné par cette nouvelle ? Louise avait toujours plu aux hommes. Il avait été le premier à s'étonner qu'elle lui soit fidèle. Il était dans l'ordre des choses qu'elle refasse sa vie. En apportant le caquelon sur la terrasse, il comprit ce qui le laissait dubitatif : Louise, si peu portée sur les démonstrations d'affection, avait embrassé son amoureux en pleine rue, devant l'hôtel où ils avaient probablement fait l'amour. Ça ne lui ressemblait pas du tout ! Mon Dieu ! Qu'est-ce que ça signifiait ? Devait-il vraiment chercher à le savoir ? Le voulait-il ? Non, bien sûr que non. Il s'entendit pourtant dire à Dorothée qu'il passerait prendre Mélissa chez Carte Noire.

— Ça me permettra de saluer Louise. Et de lui toucher un mot de ce dont on vient de parler.

— Bonne idée, mon chéri ! Nous serons plus à l'aise si les choses sont claires pour tout le monde.

— Tu as toujours raison, fit-il en l'embrassant sur le bout du nez.

* * *

Jeudi, 27 juin 2013, 21 h

Non, Dorothée n'avait pas toujours raison. Et c'est seulement parce que Louise avait une longue expérience de la dissimulation qu'elle parvint à masquer son exaspération lorsque Victor lui offrit ses vœux de bonheur avec son nouvel amoureux.

— Pardon ? s'étouffa Louise.

Victor se pencha vers elle pour la rassurer. Ils n'en avaient parlé à personne, pas même à Mélissa. Mais comme Dorothée l'avait vue devant l'hôtel InterContinental, ils n'allaient pas faire semblant d'ignorer qu'elle avait enfin quelqu'un dans sa vie.

— Tu me connais, je n'aime pas les cachotteries.

Louise inspira profondément avant de murmurer qu'elle gardait cette relation secrète, car elle en était à ses débuts.

— J'ignore comment les choses évolueront entre Roland et moi.

— Il… il s'appelle Roland ? balbutia Victor.

— Je n'ai pas choisi. J'essaie de ne pas penser à l'autre. Tu me jures de ne pas en parler à qui que ce soit ? Il n'est pas encore divorcé.

Victor ouvrit la bouche en fixant Louise. Elle le surprendrait toujours. Comment cette femme qui détestait tant les complications pouvait-elle s'accommoder d'un adultère ? Est-ce que cet homme la menait en bateau en lui promettant qu'il divorcerait ?

— Tu crois qu'il est sincère? Je ne veux pas être rabat-joie, mais tu ne peux jouer indéfiniment le rôle de la maîtresse… Avec Dorothée, on a très vite clarifié les choses, tu te souviens? Elle était très mal à l'aise et…

— La procédure de divorce est en route, dit Louise qui poursuivit en soulignant le sérieux de Mélissa au travail.

— J'avais peur qu'elle manque de maturité, mais elle ne perd pas son temps en bavardages.

— Dorothée sera heureuse de l'apprendre. On la trouve tellement secrète. Et si je comprends bien, elle ne parle pas davantage ici? On est pourtant sûrs qu'elle est amoureuse… Elle ne t'a vraiment rien confié?

— À moi? Elle discuterait plutôt avec Joanie. Mais je ne crois pas.

— Que veux-tu! Dorothée s'en fait toujours pour tout le monde!

Louise acquiesça en songeant que son existence serait plus simple si Dorothée Fortier était un peu moins altruiste. Elle croisa le regard de Mélissa qui sembla étonnée de trouver Victor sur les lieux. Est-ce que sa mère accouchait prématurément?

— Non, non, j'étais dans le coin. J'ai pensé venir te chercher.

— Je n'ai pas fini le nettoyage des…

— Tu peux y aller, Mélissa, fit Louise. Pour cette fois-ci.

— Non, non, je vais rester.

Louise crut déceler une certaine tension dans la voix de l'adolescente et eut pitié d'elle. À sa place, elle n'aurait pas eu envie de rentrer pour subir Dorothée, Victor et leur merveilleux bonheur.

— D'un autre côté, avec Martina qui est malade, ce serait préférable que…

— Je ne veux pas de traitement de faveur, insista Mélissa.

Louise se tourna vers Victor. N'était-ce pas à l'honneur de Mélissa d'être si sérieuse ? Elle le raccompagna jusqu'à la porte en l'assurant qu'elle libérerait l'adolescente d'ici une heure.

Au moment où Victor montait dans sa voiture, elle vit Michel Dion qui garait la sienne de l'autre côté de la rue. Elle resta sur le pas de la porte pour l'accueillir. Il était temps de faire preuve d'audace. Elle utiliserait le peu d'information qu'elle avait pour tenter d'en savoir davantage sur cet homme mystérieux, et surtout sur son lien avec Roland Ellis. Elle passa à l'attaque.

— Vous prenez des habitudes, M. Dion. C'est bien de revenir nous voir. Auriez-vous acheté une autre galerie dans notre quartier ?

Michel Dion dévisagea Louise. Qui lui avait parlé de la galerie sur laquelle il avait des vues ? C'était un secret. Personne ne savait qu'il était le prête-nom de McMurphy.

— Je crois que vous faites erreur, commença-t-il. Vous devez confondre avec…

— C'est le juge Roland Ellis qui doit m'avoir mentionné votre intérêt pour l'art, l'interrompit Louise sans le quitter des yeux.

Elle le vit se raidir en entendant ce nom, puis plisser le front comme s'il cherchait dans ses souvenirs. Il la fit répéter.

— Qui, dites-vous ?

— Roland Ellis. C'est un client régulier. Il était assis près de la fenêtre quand vous avez soupé ici, la semaine dernière. Un type dans la cinquantaine au physique imposant.

— Ah oui, je crois savoir de qui il s'agit.

— C'est un collectionneur. Il doit être heureux qu'une nouvelle galerie ouvre ses portes tout près d'ici.

— Il est mal informé, malheureusement, dit Michel Dion qui se jurait de découvrir qui était l'auteur de cette fuite.

Louise guida Michel Dion jusqu'à la table qu'elle avait réservée pour lui, de façon à l'avoir en permanence dans son champ de vision. Leur échange l'avait visiblement ébranlé, même s'il se forçait à sourire en prétendant que Roland Ellis se trompait sur ses intentions.

— Je vous recommande la paëlla interdite, faite avec ce riz noir que seuls les Chinois tout-puissants avaient le droit de consommer. C'est un plat royal, homard, langoustine, thon grillé. Et, en entrée, nous avons un soufflé aux asperges qui permet, grâce à la crème et au beurre qu'il contient, de réaliser un accord mets-vin plutôt réussi. Avec les asperges, c'est toujours délicat.

Louise savait que son client ne l'écoutait que distraitement, et elle-même débitait son petit laïus, étonnée d'avoir misé aussi juste en inventant cet hypothétique achat d'une galerie.

— Je n'aime pas les asperges. Je prendrai plutôt la burrata à la truffe. Et une bouteille de ce Pouilly-Fumé 2009 que j'ai découvert la semaine dernière.

Louise s'éloigna pour donner la commande en cuisine avant d'accueillir un couple de touristes américains. Elle ignorait si elle avait bien fait de parler de Roland Ellis, mais elle avait suivi son intuition, sentant qu'elle provoquerait peut-être quelque chose en intriguant Dion. Quoi ? Elle ne le savait pas. Mais un lien mystérieux existait entre le juge et cet homme et elle voulait en savoir plus.

* * *

Mardi, 2 juillet 2013, 10 h

Une odeur de barbecue flottait dans l'air et parvenait à masquer les relents d'essence de la ville quand Louise sortit de chez elle pour aller acheter du poisson pour Freya et Melchior. Elle oublia rapidement ce parfum de paprika fumé en voyant Roland lui adresser de grands signes dans le petit parc où il lui avait donné rendez-vous. Il semblait surexcité et ne portait pas de cravate, ce qui, bizarrement, changeait beaucoup son apparence. Il lui paraissait plus mou, comme si la cravate l'obligeait à se tenir droit. Elle lui sourit, soulagée de le revoir, s'étant interrogée sur son absence au restaurant les derniers jours.

— Quelle belle surprise, ton coup de fil ! Je m'inquiétais un peu d'être sans nouvelles. Qu'est-ce que tu fais ici ?

— Il faut que je te parle, Louise. Je ne sais pas ce qui m'arrive ! Je ne dors plus, je ne mange plus, je ne travaille plus ! Je pense à toi tout le temps !

Il l'attrapa par le bras pour la serrer contre lui. Elle s'abandonna quelques secondes, puis réagit, le repoussa.

— Tu es fou !

— Oui, fou de toi.

— Voyons donc ! On se connaît à peine, on s'est vus deux fois ! J'ai cinquante ans ! Tu as une maîtresse superbe et tu…

— Oublie Bianca ! C'est toi que je veux !

Il tenta de nouveau de l'enlacer. Louise saisit ses mains en secouant la tête, répétant qu'il n'était pas raisonnable.

— J'en ai justement assez d'être raisonnable, rétorqua-t-il, de toujours penser au qu'en-dira-t-on. Je veux vivre, cesser de me soucier des autres. À mon âge, j'ai le droit d'être un peu égoïste !

Louise éclata de rire en pensant à la tête que ferait Judith si elle entendait ces propos. Roland crut qu'elle l'approuvait.

— Je suis venu te dire de prendre congé la semaine prochaine. Je vais acheter des billets pour la France. Direction la Champagne ! Dis oui !

— Ce n'est pas si simple ! Laisse-moi y réfléchir. Je suis sous le choc. Je ne pensais pas que… Et puis, c'est l'anniversaire de Bianca, la semaine prochaine !

— J'ai bien assez de lui payer une fête et un appartement. Elle se consolera vite de mon départ. Je lui laisserai le condo jusqu'à la fin du bail, ça me paraît correct. Où allais-tu ?

— Chercher du poisson pour Freya. Je t'ai parlé de mes chattes… Tu m'accompagnes jusque chez Falero ?

Il secoua la tête. Il était attendu au palais de justice. Maintenant qu'il lui avait fait part de son projet, qu'ils pouvaient tous deux rêver de la Champagne, il devait mettre les bouchées doubles et boucler des dossiers avant de quitter Montréal.

— Je ne veux pas que tu achètes les billets sans moi. Sinon, je refuserai de t'accompagner.

— J'aimerais te gâter !

— On verra ça plus tard. Va travailler.

— J'espère arriver à me concentrer. Enfin, je vais essayer.

— Tu es fou ! répéta-t-elle en teintant sa voix d'intonations câlines.

Il saisit son visage et chercha sa bouche, la baisa trop longuement au goût de Louise qui ferma les yeux en s'imaginant chez le notaire, alors qu'elle signerait les documents relatifs à l'achat de son immeuble. Elle s'arracha à ce baiser en esquissant un petit geste d'adieu.

— Va travailler !

— Je t'appelle ce soir. On pourrait se retrouver chez toi et…

— Tu oublies mes chats. Judith m'a dit que tu étais allergique à leur poil.

Roland eut quelques secondes de flottement, acquiesça en se rappelant ses pseudo-allergies. Il détestait ces bestioles hypocrites.

— Mais je peux aller chez vous. Judith m'a dit hier qu'elle s'était installée à la campagne, au chalet près de l'écurie.

— Elle était au resto hier ?

— Oui, elle est de retour de la croisière. Tu sais, toutes les fois que je suis allée travailler chez vous, pour des soirées, j'ai eu envie de me baigner dans votre piscine.

— C'est vrai ?

Elle se déshabillerait donc ?

— Un bain de minuit, ça te tente ? proposa Louise.

— Ce sera peut-être un peu frais.

— Ce serait tellement agréable...

— Oui, mais pas ce soir. Demain. C'est possible ?

— C'est loin !

— Tu me rejoindrais après la soirée au resto ?

Elle lui sourit avant de froncer les sourcils : et si son fils était là ?

— Je lui dirai que je passerai la soirée à la maison. Tu peux être certaine qu'il se trouvera une occupation ailleurs. Il m'évite, il a tellement peur que je lui demande un service. Ou que je lui parle de son avenir. Mais si je ne le fais pas, qui s'en chargera ?

Louise hocha la tête, compatissante, avant de caresser la joue de Roland.

— Allez, retourne au Palais, maintenant !

— Tu connais mon adresse... J'aurai une surprise pour toi.

— Moi aussi, affirma-t-elle avec sincérité. Moi aussi.

Louise poussa un long soupir en traversant la rue. Les choses se précipitaient, mais devait-elle s'en plaindre ? Elle emprunta l'avenue du Parc, sursauta en écoutant les clochettes tinter lorsqu'elle poussa la porte de la poissonnerie, acheta de l'aiglefin et des crevettes de Matane qu'elle partagerait avec sa chatte, puis regagna son appartement. Pourrait-elle s'installer en paix sur son balcon d'ici la fin de l'été ? Aurait-elle réglé tous ses problèmes ?

Elle se planta quelques instants devant l'entrée de l'édifice en se rappelant son arrivée avec Victor. Elle avait tout de suite aimé l'appartement. Décidé de ne jamais le quitter. En insérant la clé dans la serrure de la porte principale, elle se demanda pour la énième fois pourquoi tout était toujours si compliqué.

Elle aurait sûrement soupiré d'exaspération si elle avait su que la situation était encore plus complexe qu'elle ne l'imaginait, car, au même instant, Bianca pensait précisément à elle. Il n'était pas question que Louise reste plus longtemps dans les parages ! En parler à Michel Dion lui avait effleuré l'esprit, mais elle y avait renoncé aussitôt. Il penserait que Roland lui échappait et que, par conséquent, elle n'aurait jamais accès à son coffre-fort. Elle lui avait juré qu'elle profiterait de l'absence de sa femme pour passer chez lui et elle devait arriver à ses fins. Elle se rendrait chez Roland, le séduirait et profiterait de son sommeil, après l'amour, pour subtiliser ses clés et fouiller la maison, à la recherche du coffre. Pour plus de sûreté, elle ajouterait un somnifère à son apéro.

— Il se douche toujours après avoir baisé, puis il s'endort, avait-elle dit à Michel Dion. Il est si prévisible !

En fait, peut-être pas tant que ça, sinon elle aurait deviné qu'il s'intéressait à Louise Desbiens. Il devait y avoir entre eux un lien qu'elle ignorait. Cette Louise avait vingt ans de plus qu'elle ! Il était impensable que sa mission échoue à cause de cette vieille ! Quelles explications fournirait-elle à Michel Dion qui s'impatientait déjà, qui lui reprochait de ne pas lui avoir encore remis les enregistrements ? Des enregistrements qu'elle visionnerait ou écouterait, évidemment, avant de les lui remettre.

Bianca jouait avec le feu et elle le savait. Si Roland s'apercevait de sa trahison, ce serait une catastrophe, mais elle n'avait pu refuser la proposition de Michel Dion. Elle était surprise de ne pas avoir deviné que Dion n'était pas l'honnête galeriste qu'elle avait imaginé. Lorsqu'elle l'avait repéré au casino quelques semaines auparavant, lors d'une soirée bénéfice, elle s'était approchée de cet homme élégant dans l'espoir de le séduire. Elle avait dû changer ses plans quand une grande maigre s'était pendue à son cou, mais elle avait tenu à satisfaire sa curiosité et à savoir qui il était. Il lui avait tendu la carte de sa galerie. Elle n'avait pu s'empêcher d'évoquer un ami très cher qui adorait l'art moderne. Elle pourrait peut-être le lui présenter ? Il venait tout juste d'acheter une toile à la Galerie 10 et il avait acquis récemment à l'encan une sculpture de Arp qu'il avait payée très cher.

— Arp ? Vous en êtes certaine ?

— Vous le connaissez ? Il est si bon que ça ?

Michel Dion avait souri avant d'expliquer qu'il avait eu, lui aussi, envie de cette sculpture, mais que Roland Ellis avait été plus rapide.

— C'est un ami à vous ?

Bianca avait souri à son tour sans répondre.

À la fin de la soirée, Dion était venu vers elle et lui avait proposé de passer le voir à sa galerie. Elle avait accepté. Il l'avait reçue avec égards, lui avait même offert du champagne, mais elle n'avait pas aimé son commentaire sur son faux sac Vuitton.

— Ce n'est sûrement pas Roland Ellis qui vous l'a donné, pas vrai ?

— Je l'ai acheté en pensant que…

— Qu'à ce prix-là vous faisiez une bonne affaire ? Je ne vous le reproche pas. J'aime aussi faire de bons *deals*. Mais est-ce que le juge est vraiment une bonne affaire pour vous ? Vous a-t-il promis à vous aussi qu'il quitterait sa femme ?

Il y avait eu un moment de silence, puis Bianca avait soutenu qu'avec elle ce serait différent. Mais quand Dion, quelques jours plus tard, lui avait proposé un marché très lucratif, « au cas où Roland ne tiendrait pas parole », elle n'avait pas caché son intérêt.

Et, aujourd'hui, elle voulait plus que jamais gagner sur tous les tableaux.

Ce n'était certainement pas Louise Desbiens qui viendrait la gêner !

* * *

ÉPISODE 9

Mercredi, 3 juillet 2013, 22 h

Louise avait tapissé de plastique le fond de son grand sac à main et avait déposé un sac de glace pour conserver les petits choux farcis à la crème de champignons et au foie gras, la confiture de tomates et les raviolis au canard. Elle avait été tentée de tout prendre chez Carte Noire, mais c'était trop risqué. Quand on enquêterait sur Roland Ellis, après sa mort, on apprendrait qu'il venait fréquemment au resto. Elle ne pouvait pas servir des bouchées qui en portaient la signature. Elle s'était donc appliquée à réaliser ces bouchées. Elle dirait à Roland qu'elle lui apportait les dernières créations de Guido, qu'ils seraient les premiers à les déguster.

Elle avait broyé trois comprimés de morphine dans le foie gras. Le médecin qu'elle avait vu après s'être blessée au dos lui avait prescrit de la cyclobenzaprine, moins forte, mais elle avait insisté pour avoir de la morphine, alléguant qu'elle devait prendre l'avion le lendemain et qu'elle souffrait le martyre. « Quatre ou cinq comprimés de Statex seulement, juste au cas où les autres pilules ne serait pas suffisantes. » Morphine + alcool + piscine = disparition de Roland. Judith était au chalet, mais Louise s'assurerait en arrivant chez les Ellis que le fils était bien absent.

À vingt heures, elle téléphona à Roland pour vérifier s'ils se voyaient toujours, si son fils s'était trouvé une occupation pour la soirée. Elle n'aimait pas trop l'idée que le numéro du restaurant figure dans la liste des appels reçus chez les Ellis, mais elle raconterait aux enquêteurs – si jamais un policier un peu trop pointilleux n'adhérait pas à la thèse de l'accident – que le juge avait retenu ses services comme traiteur. Les Ellis, étaient d'excellents clients, et ils devaient discuter d'une fête prochaine.

— Je serai chez vous dans deux heures, promit Louise à Roland.

— Il y a du champagne au frais.

— C'est parfait.

Elle enfila le survêtement qu'elle avait apporté au restaurant par-dessus sa lingerie en dentelle, glissa sa robe et ses souliers vernis dans le sac contenant les bouchées et salua Guido avant de quitter le resto.

— Je ne sais pas comment tu peux avoir envie d'aller courir après être restée debout toute la soirée.

— Je décompresse. Chacun sa méthode. Toi, tu iras prendre un verre avec Heather, je suppose ?

Guido hocha la tête, tandis que Louise s'éclipsait.

Dans le taxi qui roulait vers la résidence des Ellis, elle se répétait les différentes étapes de son plan. Tout est toujours une question d'organisation. Elle avait tout planifié comme pour les meurtres précédents et, dans moins de deux heures, elle serait de retour chez elle. Il faudrait ensuite faire preuve de patience, car elle ne pourrait pas s'entretenir avec Judith avant quelques jours. Il y aurait l'autopsie. Le corps de Roland ne serait pas rendu à la veuve pour l'enterrement avant une bonne semaine. Si tout allait bien, si on concluait à un accident.

Le seul point qui agaçait Louise était la fameuse morphine. Elle devait impérativement en administrer à Roland, mais les enquêteurs ne trouveraient pas d'ordonnance au nom de la victime. Laisser un contenant de plastique avec deux autres comprimés sur place? Les policiers se demanderaient bien où Roland avait pris ces pilules, sans le découvrir. Elle n'allait pas laisser ses empreintes sur le contenant. Mais des questions surgiraient: pourquoi avait-il avalé ces foutus comprimés? Avec de l'alcool en plus, c'est dangereux, tout le monde le sait. À quoi pensait-il? Pourquoi avait-il jeté l'ordonnance? De quoi souffrait-il? Était-il dépressif?

Judith apprendrait aux enquêteurs qu'ils s'apprêtaient à divorcer, mais Louise espérait qu'elle serait assez intelligente pour ne pas sembler trop étonnée par le décès de son mari, même s'il n'avait pas de soucis de santé. Ni d'argent. Ni de problèmes au palais de justice. La thèse du suicide ou de l'accident serait probablement retenue. Judith ne toucherait peut-être pas d'assurance vie, mais elle hériterait des biens de Roland. Alors que si on envisageait une action malveillante, l'enquête s'étirerait et la fortune ne lui reviendrait que dans des mois, voire des années. D'autant que Judith et Vincent seraient forcément soupçonnés, comme le sont toujours les proches et les héritiers d'une victime de meurtre.

La façade de la maison était éclairée. Louise était descendue du taxi deux rues plus loin et voyait, en s'approchant, la silhouette de Roland se détacher dans la lumière qui illuminait le grand hall. Il l'attendait, souriant comme si c'était Noël. Car il avait cru au Père Noël, cru que son charme avait agi sur Louise. Parce qu'elle avait repoussé son argent, refusé qu'il achète des billets d'avion pour la France. Il avait pensé que c'était son esprit, sa culture qui l'avaient séduite. La prétention était un formidable talon d'Achille!

— C'est la première fois que j'entre par la grande porte, mentit Louise. Habituellement, je passe par la cuisine avec la brigade d'employés. Je me souviens du méchoui de l'été dernier, autour de la piscine.

— C'était très réussi ! Mais ce sera plus intime, ce soir. Pourquoi es-tu à pied ?

— J'étais troublée. J'ai donné la mauvaise adresse au chauffeur de taxi et j'ai dû marcher pour venir ici.

— Je suis heureux de te faire cet effet-là…

— Je m'excuse d'arriver en survêtement. Toi, tu es si élégant… Mais j'ai taché ma robe au resto. Si j'étais retournée chez moi, je serais arrivée encore plus tard… J'ai apporté des petites bouchées.

— Il y a un magnum d'Alexandra au frais.

— La tête de cuvée de Laurent-Perrier ! Tu me gâtes trop, Roland.

— Tu as refusé que j'achète nos billets. C'est bien le moins que je t'offre du champagne pour fêter notre premier voyage !

— Nous irons ensemble à l'agence de voyage, promit Louise. J'ai apporté mon agenda pour qu'on vérifie nos disponibilités.

Louise fouilla dans son sac à main et en retira un calepin vert.

— J'ai encerclé les dates qui me conviennent le mieux.

Roland consulta l'agenda quelques secondes, assura que tout lui allait. En lui remettant le calepin, il en profita pour lui caresser le cou.

— Ça me semble tellement étrange, tellement précipité ! dit-elle.

— Tu ne fais jamais de folies ?

— Non.

— Il est temps de s'y mettre !

Roland entraîna Louise par la main. Ils traversèrent le salon, la salle à manger, la cuisine pour sortir par la porte qui donnait sur le jardin et la piscine. Louise nota que Judith avait emmené Igor avec elle au chalet. Elle déposa son sac à côté de la table de marbre où Roland avait mis le seau à glace et les flûtes.

— Installe-toi, fit Roland en désignant une chaise longue. J'ouvre la bouteille.

— Tu attends deux secondes ? Je vais à la cuisine chercher une assiette pour y mettre les bouchées que j'ai apportées.

— Tu connais notre cuisine.

Louise repartit par où elle était arrivée, prit un des linges immaculés accrochés au mur pour ouvrir l'armoire vitrée où elle choisit une grande assiette de porcelaine. Elle la rapporta dans le jardin en la tenant avec le torchon de lin blanc et, voyant Roland sourciller, elle eut un petit rire gêné.

— Tu dois me trouver un peu maniaque. Déformation professionnelle. Je tiens tellement à la propreté au resto, je ne veux surtout pas d'empreintes sur une assiette ! Nous avons des clients exigeants, qui méritent le meilleur. Toi, tu es souple, mais certains sont tellement tatillons. Michel Dion, par exemple…

— Michel Dion ?

Louise fit semblant d'être confuse. Elle ne devait pas se permettre de critiquer un client, c'était contre la déontologie.

— Mais avec toi, ajouta-t-elle en caressant la joue de Roland, j'ai déjà renoncé à deux ou trois principes, dont celui de ne jamais fréquenter un homme marié…

— Je vais m'occuper du divorce, je te le jure. J'attends seulement que Jasmin Fournier revienne de vacances. C'est le meilleur avocat pour les divorces. À notre retour de la Champagne…

— Ne jamais sortir avec un client, poursuivit Louise. Et maintenant, je suis là à déblatérer contre M. Dion. Je me méfie de cet homme. Sans raison, je dois l'avouer. Mais je n'aime pas trop qu'il m'ait demandé de passer à la galerie afin de discuter d'une soirée qui doit avoir lieu en novembre. D'un autre côté, c'est un truc énorme, très intéressant pour Carte Noire. Il semble connaître beaucoup de monde.

— Ça, c'est sûr. Mais pas nécessairement le genre de clientèle que tu souhaites pour votre resto. Il trempe dans toutes sortes de magouilles. J'ai des preuves de…

Roland se tut, esquissa un geste vague comme si ce qu'il racontait n'avait pas d'intérêt.

— Des preuves de quoi ? s'enquit Louise.

— Je ne peux pas en parler. Mais je peux juste te dire qu'il est mêlé à toutes sortes de trafics.

Louise eut un infime geste de recul, posa son verre sur la table et garda le silence un long moment en fixant la piscine.

— Qu'est-ce qu'il y a ?

— Tu me demandes de te faire confiance, de te suivre en France sur un coup de tête parce que tu prétends être amoureux de moi. On ne s'est vus en tête-à-tête que deux petites fois et je suis assez naïve pour te croire, parce qu'il m'a semblé que je te plaisais… Mais toi, tu te méfies de moi. Tu gardes tes secrets. C'est à moi de prendre des risques. Toi, tu te tais… alors que tu sais des choses sur Michel Dion qui pourraient peut-être protéger Carte Noire. Mais je me suis toujours débrouillée toute seule, je peux continuer.

Roland saisit les mains de Louise. Il ne voulait pas la blesser.

— Dion est en cheville avec des criminels.

— Des criminels ? Mais il a une galerie dans le Vieux-Montréal !

— Pour blanchir du fric. Voilà, tu en sais suffisamment.

— Tu es certain de ce que tu avances ? C'est incroyable.

— Parce que Dion paraît bien? fit Roland avec mépris. J'ai des preuves qu'il a trempé dans des trucs pas trop catholiques.

— Des preuves?

— Des enregistrements, dans mon coffre et...

— Pourquoi ne le dénonces-tu pas? s'étonna Louise. Tu as été avocat, tu es juge. J'avoue que je ne comprends pas.

Roland soupira. Il espérait une soirée romantique et voilà qu'ils évoquaient son travail. Louise caressa la joue de Roland en s'excusant d'insister.

— Je prends trop à cœur les intérêts de Carte Noire. Mais que veux-tu, c'est toute ma vie. Si Dion représente une menace, je dois le savoir...

— Je ne l'ai pas dénoncé, mentit Roland, parce que j'attends qu'il nous mène à de plus gros poissons.

— Qu'il vous mène?

— J'ai déjà trop parlé. C'est une grande preuve de confiance... Et tu devrais refuser de t'occuper de cette soirée à sa galerie. Ce n'est pas sûr qu'il pourra te payer.

— Merci. Merci beaucoup, dit Louise en regardant Roland droit dans les yeux. Je ne t'en parlerai plus. Maintenant, admire ce que j'ai apporté. Les nouvelles bouchées de Guido. Nous sommes les premiers à les tester!

Elle ouvrit son sac, en retira la boîte dans laquelle elle avait soigneusement rangé les bouchées, les déposa délicatement dans l'assiette de porcelaine sur la table de marbre. Ses gestes étaient précis, assurés et elle se réjouit de constater qu'elle était parfaitement calme. C'est à peine si elle sursauta en entendant sauter le bouchon de champagne.

— À nous! dit Roland en lui tendant la flûte où pétillait le champagne.

— À nous! fit Louise en dégustant la Cuvée Alexandra.

Elle soupira en s'allongeant sur la chaise.

— C'est le rêve !

— Oui ! Toi et du champagne. Nous, ici.

— Je ne comprends toujours pas que tu choisisses une vieille comme moi, plutôt qu'une jeune femme comme Bianca…

— Ne me parle pas d'elle ! se lamenta Roland. Elle m'a téléphoné avant que tu arrives.

Était-ce une bonne ou une mauvaise chose ? se demanda Louise tout en prenant une mine inquiète.

— Que te voulait-elle ?

— Elle prétendait avoir perdu dans ma voiture une chaîne en or que je lui ai offerte. C'était un prétexte pour venir ici. Elle porte toujours ses propres créations… Encore heureux que Judith n'ait pas été là ! J'ai raconté que je ne me sentais pas bien. J'ai dû lui parler de la fête pour son anniversaire pour qu'elle ne s'imagine pas que je la plaquais. Je n'avais pas envie de me disputer avec elle, je n'avais pas de temps pour une crise de nerfs. Je lui enverrai un petit cadeau après sa fête pour lui expliquer que c'est terminé. De toute manière, on sera loin, tous les deux. Occupés à boire du champagne et à manger dans le meilleur restaurant de Reims. Je suis allé voir le site des Crayères. On devrait s'offrir ce Relais & Châteaux.

— Pour l'instant, goûte-moi ceci… Je sais que tu adores le foie gras. Avec la confiture de tomates, c'est divin !

Elle prit une bouchée, se leva pour se pencher vers Roland, la déposa dans sa bouche. Elle s'attarda, lui baisa le front en lui caressant l'épaule.

— Tu aimes ?

— Ta caresse ou le foie gras ?

Elle lui sourit en saisissant un chou farci.

— Ces bouchées sont différentes de ce que Guido fait d'habitude, remarqua Roland. Mais c'est bon. Plus rustique, peut-être. Il y a plus d'épices dans le foie gras, me semble-t-il.

— Trop ? s'inquiéta Louise.

Il fallait que Roland mange au moins trois bouchées.

— Non, non. Tu n'y as pas goûté ?

— Si, si, mais je ne mange pas beaucoup de foie gras. Je ne suis pas une spécialiste comme toi. Je me fie à Guido. Il m'a dit qu'il avait mis de la cardamome pour donner une note exotique. Ce sera sans doute un peu trop original pour les clients conservateurs, mais j'ai pensé que ça te plairait, à toi qui es plus audacieux.

— J'adore, répondit-il.

Louise reprit une bouchée qu'elle avança vers Roland en souriant.

— J'ai l'impression d'être un oiseau à qui on donne la becquée.

— Je n'ai pourtant pas l'intention d'être maternelle avec toi…

Après avoir bu une autre gorgée de champagne, elle descendit lentement la fermeture éclair de son survêtement, découvrant un soutien-gorge en dentelle champagne.

— Je savais que tu mettrais une bouteille d'une grande cuvée au frais. Tu sais ce qui me fait plaisir… J'ai voulu avoir des dessous qui s'harmonisent avec la couleur du vin. Ça te plaît ?

Le visage subitement écarlate de Roland rassura Louise qui prit sa flûte avant d'aller s'asseoir sur le bord de sa chaise. Elle allongea le bras, le passa sous celui du juge pour l'emmener à boire dans sa propre coupe tandis qu'elle buvait dans la sienne.

— Tu veux boire mes pensées ? s'enquit-il.

— Oui, fit-elle en effleurant le devant de son pantalon. Mais je crois que je les connais déjà…

Elle se redressa subitement, lui tourna le dos.

— Je vais trop vite. Il faut faire durer notre plaisir…

— Je ne pourrai pas me retenir indéfiniment, la prévint-il. Ça fait trop longtemps que j'attends ce moment. Encore plus longtemps que je ne l'imaginais. Je pense que je t'ai toujours désirée. Mais tu étais si…

— Froide ?

Il se leva à son tour pour l'enlacer maladroitement, appliqua ses lèvres sur son cou pour lui donner une série de petits baisers qui la firent éclater de rire. Qu'il était donc prévisible !

— Je suis chatouilleuse… Tu me ressers du champagne ? Il faut prendre notre temps, savourer notre plaisir…

Il hocha la tête, Louise avait raison. Il remplit les flûtes pendant que Louise lui tendait une autre bouchée au foie gras. Il tapota son ventre en secouant la tête.

— Stop ! Tu vas me faire engraisser.

— Ce n'est pas une minuscule bouchée de foie gras qui changera quoi que ce soit. Et je n'aime pas les hommes trop minces. La maigreur me déprime ! Allez, ouvre la bouche !

Il s'exécuta tout en lorgnant vers le soutien-gorge de Louise. Il posa ses mains sur ses seins. Elle ne le quittait pas des yeux, le regardant mastiquer la bouchée avec satisfaction. Elle prit ses mains, les baisa avant de s'éloigner pour se déshabiller.

— J'ai toujours eu envie de plonger dans cette piscine. Avec toi. Viens !

— L'eau n'est pas encore très chaude.

— Tu es douillet ? Toi ? Je te voyais plutôt comme un ours polaire. Mon ex, lui, était une vraie chochotte. Il ne mettait pas le bout d'un orteil à l'eau si elle n'était pas à 80 degrés.

Roland découvrait le slip de Louise, qui ne lui cachait pratiquement rien de son anatomie, qui serait bientôt transparent si elle plongeait ainsi dans la piscine. Ou l'enlèverait-elle ? Il commença à déboutonner sa chemise, la laissa tomber sur la chaise. Elle s'approcha de lui pour descendre la fermeture éclair de son pantalon. Il vacilla légèrement tandis qu'elle le baissait, puis tirait sur son slip. Il se sentit étourdi par trop d'excitation. Et par le scotch qu'il n'aurait pas dû boire avant que Louise arrive, mais il avait eu besoin de se détendre un peu. Il sentit sa main sur son sexe et songea qu'il devait se jeter à l'eau pour se ressaisir, sinon il éjaculerait avant même d'avoir touché les seins de Louise. Qui le regarda avec étonnement se précipiter dans la piscine, mais se prépara à le rejoindre aussitôt. Elle avait craint de devoir insister pour le forcer à se baigner.

— Je l'avais dit! Tu es un ours polaire!

— À ton tour!

Elle descendit les marches de la piscine, frissonna en s'avançant vers Roland, constatant avec plaisir qu'il avait perdu son érection. Elle tendit la main vers son sexe, commença à le caresser. Il gémit.

— Ça va?

— C'est bon, Loulou, c'est bon…

Loulou! Personne ne l'avait appelée ainsi depuis l'école primaire! Elle continua le mouvement de va-et-vient de sa main gauche sur le pénis de Roland tout en lui caressant les fesses de sa main droite, le poussant lentement vers la partie plus profonde de la piscine.

— Je me sens tellement bien… J'ai l'impression de flotter, de voler…

— Moi aussi, mon chéri, moi aussi, l'assura Louise juste avant qu'il bascule dans l'eau.

Il tenta de se redresser. Elle mit ses bras autour de son cou, l'enlaça, serra ses jambes autour de son bassin, prit une grande inspiration et pesa de tout son poids sur Roland qui s'agita, cracha, toussa, en essayant de refaire surface. Louise accentua la pression de ses cuisses, redoutant qu'il réussisse à se dégager.

Elle se colla encore davantage contre lui, prit une longue inspiration avant de s'enfoncer sous l'eau. Roland continuait à remuer les jambes et à tenter d'attraper ses poignets, mais elle tenait bon, même si elle ne distinguait plus rien. Après un moment qui lui sembla une éternité, elle sentit enfin le corps sous elle se relâcher, elle desserra les jambes, les bras et, tremblante, nagea jusqu'aux marches de la piscine, s'y assit quelques minutes en regardant le cadavre de Roland qui flottait. Combien de temps mettrait-il à couler ?

Elle enfila son survêtement sur ses dessous trempés, ramassa son sac à main, l'ouvrit pour y faire glisser les bouchées qui restaient, se força à respirer lentement pour se calmer. Elle devait effacer toute trace de son passage. Après avoir récupéré le linge qu'elle avait utilisé pour apporter l'assiette de porcelaine, elle souleva le seau à champagne et le plaça près du rebord de la piscine. Elle prit ensuite une des flûtes, l'essuya grossièrement et la laissa tomber dans l'eau tandis qu'elle rangeait la seconde dans son sac. La serviette que Roland avait déposée pour elle sur une chaise se retrouva aussi dans le grand sac. Une bonne chose de faite ! Elle examina les lieux attentivement : elle ne devait rien oublier qui permette de remonter jusqu'à elle.

Elle fouilla dans les poches du pantalon de Roland pour s'assurer qu'il n'y avait aucune information la concernant, effleurant au passage des clés et de la monnaie. Elle enfila ses souliers, rabattit le capuchon de son survêtement, puis ouvrit la petite porte du jardin qui donnait sur la rue arrière. Elle avait l'habitude d'arriver de ce côté lors des soirées des Ellis.

Au moment où elle entrouvrait la porte, elle entendit crisser le gravier, puis un cri perçant de stupéfaction. Elle eut le temps d'apercevoir une masse de cheveux blonds avant de refermer la porte et de se mettre à courir en sens inverse. Elle retraversa la maison et redoubla de vitesse pour fuir dans la rue et s'éloigner au plus vite de cette demeure. Elle faillit se faire heurter par une voiture, mais ralentit à peine sa course. Bianca l'avait-elle vue, oui ou non?

Elle tenta de se convaincre que Bianca ne l'avait aperçue qu'une fraction de seconde. Et qu'elle ne l'avait vue qu'une fois, au Ritz. Roland ne l'avait jamais emmenée chez Carte Noire. Bianca n'aurait pas dû venir chez les Ellis. Si elle n'était pas complètement idiote, elle comprendrait qu'il n'était pas dans son intérêt d'appeler les secours. Ni de répondre aux questions des policiers. Elle repartirait illico!

* * *

Mercredi, 3 juillet 2013, 23 h

C'était bien ce qu'avait failli faire Bianca en découvrant le corps de Roland dans la piscine. Mais après l'avoir regardé, hébétée, flotter durant quelques secondes, elle se ressaisit: il était visiblement trop tard pour Roland. Elle devait penser à elle. C'était l'occasion ou jamais de récupérer les enregistrements de Michel Dion dans le coffre-fort. Avec un peu de chance, il contiendrait non seulement les enregistrements que voulait Dion, mais de l'argent liquide ou des bijoux. Où était-il? Encastré dans le bureau de Roland? Caché dans sa chambre? Dissimulé derrière un de ses tableaux hors de prix?

Après s'être assurée que la silhouette féminine qu'elle avait vue s'enfuir était bien partie, elle fit le tour de la piscine, à la recherche des clés de Roland. N'était-ce pas Louise, cette femme qu'elle avait entrevue? Remettant cette réflexion à plus tard, elle se concentra sur sa recherche. Elle dénicha le pantalon de Roland sur une chaise, fouilla les poches, retint un cri de victoire en palpant un trousseau de clés.

Elle s'apprêtait à chercher le coffre quand elle entendit des voix derrière la palissade qui isolait les Ellis de leurs voisins. Était-ce Judith qui revenait à la maison ? Ou son fils ? Devait-elle traverser la maison pour sortir par l'avant ou tenter de gagner la porte du jardin, puis sa voiture ? Elle retint son souffle, hésitante et s'en voulant d'hésiter, mais les voix s'estompèrent et Bianca relâcha sa respiration. Cette alerte l'avait convaincue de ne pas s'attarder dans cette maison. Elle sortit par la porte du jardin et se précipitait vers sa voiture quand elle vit une automobile blanche garée dans l'entrée des Ellis, tous phares allumés. Elle entendit une portière s'ouvrir, quelqu'un crier derrière elle. Tremblante, elle enfonça la clé pour démarrer et appuya sur l'accélérateur sans se soucier de dépasser la limite de vitesse autorisée dans une zone résidentielle.

* * *

ÉPISODE 10

Mercredi, 3 juillet 2013, 23 h 30

Louise courut durant une heure pour décompresser. En allongeant sa foulée, elle se força à se remémorer la soirée dans tous ses détails et finit par se persuader que, hormis l'irruption de Bianca, tout s'était bien déroulé. Elle avait maintenant très hâte d'arriver à l'appartement pour retirer ses dessous mouillés, son survêtement imprégné de sueur. Les miaulements joyeux de Freya et Melchior qui l'accueillirent quand elle poussa la porte l'apaisèrent: elle avait eu raison d'agir dans leur intérêt commun. De toute façon, qui regretterait Roland à part Bianca qui perdait son *sugar daddy*?

Il n'y avait pas de problème, se répéta Louise. Que l'obligation de faire preuve de patience. D'attendre pour parler à Judith. De se préparer à la visite des enquêteurs au resto. Quand Judith serait-elle prévenue de la mort de son mari?

* * *

Mercredi, 3 juillet 2013, 23 h 35

Frank Fortunato et Marie-Josée Bélanger écoutaient les patrouilleurs Jean-François Morel et Didier Belzile leur relater leur arrivée chez Roland Ellis. Ils avaient simplement répondu à un appel radio mentionnant que des cris avaient été entendus dans ce secteur. Ils avaient fait le tour de la résidence avant de découvrir la victime au beau milieu de la piscine.

— Vous nous avez dit par radio que tout semblait calme quand vous vous êtes pointés ici ?

— La musique jouait dans le jardin. Mais il n'y avait personne dans la maison. On a fait le tour, regardé dans toutes les pièces.

— Après avoir vérifié si l'homme était bien mort, ajouta Jean-François Morel en montrant ses vêtements trempés. On n'a rien pu faire pour lui. C'était trop tard.

— On a appelé le coroner, dit Marie-Josée Bélanger. Il devrait être là d'une minute à l'autre.

— D'après la répartitrice, reprit Belzile, c'est une voisine qui a appelé. On vous attendait pour commencer l'enquête de proximité, savoir qui a téléphoné.

— Si la voisine a entendu des cris, c'est qu'il y avait quelqu'un ici, fit Bélanger. Ce n'est pas le noyé qui hurlait. Quelqu'un est venu, puis reparti. Qu'est-ce qu'on sait sur la victime ?

— Selon le numéro de la plaque d'immatriculation de la voiture qui est dans le garage, ce serait un certain Roland Ellis.

— Roland Ellis ? s'exclama Frank Fortunato. Le juge ?

Il s'approcha de la piscine pour mieux voir la victime. Il hocha la tête en espérant masquer son excitation : il aurait peut-être enfin l'occasion de montrer ce qu'il valait à ses supérieurs. Et à Caroline, sa femme adorée depuis une semaine. Elle était persuadée qu'il avait l'étoffe d'un grand limier. Elle lui répétait qu'elle croyait en lui, et son regard admiratif était si sincère qu'il voulait lui prouver au plus vite qu'elle ne s'était pas trompée en l'épousant. Il savait bien que ses sœurs avaient tenté de la décourager de se marier avec lui. Elles avaient choisi, elles, des chirurgiens, comme le père de Caroline. Mais elles verraient qu'elles avaient tort de le mépriser quand il éluciderait les circonstances du meurtre du juge Ellis. Car il fallait que ce soit un meurtre!

— On doit être très prudents, déclara-t-il. Roland Ellis a jugé beaucoup de criminels au cours de sa carrière.

— Tu penses qu'il a été assassiné? dit Marie-Josée Bélanger.

— Tout est possible. C'est l'autopsie qui nous le dira et...

Les hurlements d'une sirène indiquant l'arrivée des ambulanciers couvrirent ses dernières paroles. Tandis que les patrouilleurs prévenaient les ambulanciers qu'ils devraient attendre le coroner, Frank Fortunato enlevait ses chaussures et ses bas et descendait les premières marches de la piscine. Il avait une furieuse envie de retourner le cadavre pour voir s'il y avait des marques de coups sur son visage, des traces de strangulation sur son cou, mais bien sûr, il allait attendre l'intervention du coroner pour toucher au corps.

En attendant, il pouvait tenter de l'examiner en plongeant sous lui. Il prit une longue inspiration et s'enfonça dans la piscine, ouvrit les yeux et fut étonné de penser que le juge ressemblait un peu à un phoque. À cause de sa moustache peut-être... À première vue, il n'y avait aucune marque dans son cou, pas de plaie apparente. S'était-il bêtement noyé? Fortunato allait remonter à la surface en ruminant sa déception quand il vit un éclat au fond de la piscine. Il s'approcha et constata qu'il s'agissait d'un verre. Il se félicita d'avoir mis ses gants et saisit délicatement la flûte qu'il tendit à sa partenaire en sortant de l'eau.

— Qu'est-ce que tu as trouvé? demanda-t-elle.

— Le verre dans lequel il doit avoir bu ce champagne. On ne voit pas très bien sous l'eau, mais je n'ai pas distingué de plaie. Rien d'anormal.

— Attendons le coroner, fit sagement Marie-Josée Bélanger. As-tu des vêtements de rechange?

— Au poste.

— Je me demande ce qu'il fêtait?

— Fêtait?

— Pour ouvrir une bouteille de champagne, dit Bélanger. Quoique, pour lui, ça doit être la même chose que, pour moi, quand je décapsule une bouteille de bière. Il a les moyens... C'est la première fois de ma vie que je vois une aussi grande piscine privée. Il doit s'être assis dans les marches pour boire sa flûte.

— Ou il l'a échappée en tombant dans la piscine. Si on l'a poussé, par exemple...

— Poussé?

L'arrivée du coroner et des techniciens en scène de crime interrompit Marie-Josée Bélanger. Elle tendit la main au Dr Laroche qui semblait contrarié, qui se plaignit d'avoir dû quitter le restaurant où il soupait avec des amis pour examiner ce cadavre qu'un spécialiste photographiait sous tous les angles avant qu'on l'extirpe de la piscine.

Quand il vit le juge allongé sur la civière, Fortunato fut surpris de constater que sa ressemblance avec un phoque était encore plus criante à cause de sa moustache qui collait à ses joues flasques.

— Qu'est-ce qu'on fait? demanda un ambulancier.

— On l'emmène rue Parthenais, dit le coroner. Pas le choix de faire une autopsie...

— Vous avez décelé quelque chose d'inhabituel? s'enquit Frank Fortunato, le cœur battant d'espoir.

— Non. Pas de marques, à première vue. Mais il peut y avoir plusieurs raisons à cette noyade. On doit savoir ce qui s'est passé.

— La bouteille de champagne était quasiment vide, dit Bélanger. Il a pu avoir un malaise. Ou il était ivre et il a trébuché.

— Ça ressemble à ça, admit le Dr Laroche. On ne devrait jamais se baigner seul. Ce n'est pas le premier noyé de l'été et ce ne sera pas le dernier. Même si ça m'a tout l'air d'être un accident, on suit la procédure d'une scène de crime, on ne sait jamais…

— J'ai ramassé un seul verre dans le fond de la piscine, fit Fortunato en désignant le sachet déposé sur la table du jardin.

Le Dr Laroche se pencha de nouveau vers le corps en marmonnant que, heureusement, il n'était pas resté longtemps dans l'eau.

— On a de la chance, il n'a pas commencé à gonfler.

Simon Laroche se releva en questionnant les enquêteurs :

— Qui vous a avertis?

—C'est une voisine qui a entendu des cris, dit Fortunato. Un appel est entré au poste, les patrouilleurs ont débarqué ici, on est arrivés quelques minutes plus tard. Il n'y avait personne. Les lieux étaient déserts.

— J'ai vu une veste de femme sur le dos d'une chaise dans la salle à manger, dit Morel. Peut-être qu'elle appartient à l'invitée de Roland Ellis.

— Ou à sa femme, suggéra Belzile. Dans les chambres du haut, il y a un placard rempli de robes.

— Le juge Ellis est marié, dit Fortunato. Ils ont adopté un garçon, si j'ai bonne mémoire.

Un patrouilleur confirma que, en inspectant les lieux, il avait vu une chambre en désordre avec des tee-shirts, des souliers de sport, un ordinateur tout neuf.

— Mon plus vieux serait content d'avoir le même. Il y avait aussi des assiettes sales sur le bureau et un verre vide.

— Comme chez nous, renchérit Laroche. On a beau demander à Maximilien de mettre les assiettes dans le lave-vaisselle, ça traînerait des jours si ma femme ne les ramassait pas...

— Je suis contente qu'on soit arrivés avant la famille, dit Bélanger. Il faut maintenant la prévenir. Et parler à la voisine qui a entendu les cris. On ne sait pas si ce sont des cris d'homme ou de femme...

— On doit garder en tête que le juge Ellis a envoyé plusieurs criminels en prison, insista Fortunato. Sa mort en réjouira certains. Quand pourrons-nous avoir les premiers résultats ?

Le Dr Laroche haussa les épaules. Il comprenait l'impatience du jeune enquêteur, mais il fallait du temps pour réaliser les expertises toxicologiques, analyser tous les éléments, scruter le corps à la loupe à la recherche de la moindre anomalie.

— Je vais faire de mon mieux, promit-il.

Fortunato le regarda s'éloigner vers la porte du jardin en espérant qu'il trouverait rapidement l'indice qui prouverait que cette mort était suspecte.

— Je devrais peut-être retourner examiner la piscine, au cas où il y aurait autre chose. Je n'ai rien vu, mais...

La voix du Dr Laroche qui criait « arrêtez-vous » le surprit. Il vit aussitôt Belzile qui courait vers le fond du jardin pour empêcher l'intrus de polluer la scène de crime. Le jeune homme vociférait qu'il était chez lui. Bélanger s'élança en même temps que lui pour prêter main-forte à Belzile qui retenait à grand-peine l'adolescent.

— Qu'est-ce que vous faites là ?

— Vous habitez ici ? dit doucement Marie-Josée Bélanger.

— C'est chez nous.

— Nous avons une mauvaise nouvelle, commença Frank Fortunato. Votre père semble avoir eu un accident.

— Un accident ?

— Il s'est noyé.

— Il s'est noyé ?

— Comment vous appelez-vous ? reprit Bélanger.

— Quoi ?

— Votre nom ?

— Vincent Ellis. Mais je pense que…

— Suivez-moi. Nous devons vous parler, dit Fortunato.

Vincent fixa l'enquêteur. Pouvait-il deviner qu'il avait fumé du pot avec Michaël, avant de boire de la bière au parc ? Est-ce qu'il le fouillerait ? Qu'est-ce qu'il avait raconté à propos de son père et de la piscine ? Son père ne se baignait quasiment jamais. Tout s'emmêlait dans son cerveau. Michael lui avait bien dit que le pot était le meilleur qu'ils avaient jamais fumé et il avait raison.

Tétanisé, Vincent n'opposa aucune résistance quand Fortunato le prit par l'épaule pour le guider vers la voiture. Le policier remarqua l'auto du jeune homme, garée derrière celle des patrouilleurs, une Passat blanche 2012. Cadeau de papa ? Vincent trébucha et l'enquêteur le rattrapa de justesse avant de l'aider à s'asseoir dans la voiture.

— Pouvez-vous nous donner le nom de votre mère ? Afin qu'on la prévienne du décès de votre père.

— Elle vit aux États-Unis.

— Je croyais qu'une femme habitait ici.

— C'est Judith. Mais ils vont divorcer.

— Voulez-vous quelque chose à boire ? Un verre d'eau, un café ?

— Je… non… qu'est-ce qui se passe avec mon père ?

— Je suis désolée, dit Marie-Josée Bélanger, mais nous sommes arrivés trop tard. Il était déjà mort. Il a peut-être eu un malaise, une crampe…

— Vous vous trompez !

— Il n'y a pas de doute, il est vraiment mort.

— Mort ? ricana Vincent. Voyons donc ! L'eau est trop froide pour lui. Il ne se baigne jamais avant qu'elle soit à 80, 85 degrés. Judith et moi, on trouve ça trop chaud. À quoi ça sert de se baigner si on ne se rafraîchit même pas ? Mais il gardait la piscine chauffée à 80 degrés minimum. Là, elle n'est pas encore à 75. Je le sais, j'ai nagé ce matin.

Il omit de préciser qu'il s'était baigné dans l'espoir que son mal de tête s'évanouisse. Il n'aurait pas dû, la veille, boire cette liqueur de prune. La bouteille, rangée au fond d'une armoire du bar, n'avait pas été souvent ouverte. Il était clair que son père l'avait oubliée et ne se rendrait pas compte qu'il s'était généreusement servi. Il avait bu la Prunelle de Bourgogne en surfant sur des sites pornos. Aucune femme n'était aussi belle que la blonde qui couchait avec son père.

Quand Roland s'était informé de ses plans pour la soirée, Vincent avait affirmé qu'il irait chez Michaël et ne rentrerait pas avant minuit. Il n'avait pourtant pas l'intention de se priver du plaisir de gêner son père en revenant plus tôt à la maison. Roland avait prétendu recevoir un collègue pour une cause délicate. Mon œil ! Le prenait-il pour un idiot ? Alors qu'il savait qu'il avait une maîtresse ? Et quelle maîtresse !

Tout à coup, il se souvint qu'il avait vu la belle blonde sortir par la porte du jardin en courant. Il lui semblait l'avoir interpellée, mais Bianca s'était engouffrée dans sa voiture. Il avait été tenté de la suivre, mais elle était partie sur les chapeaux de roue et il ne s'était pas senti d'attaque pour la rattraper. Il avait senti une fringale et décidé d'aller au dépanneur acheter des chips au ketchup, le genre de truc que Judith n'achetait jamais.

Vincent étouffa un cri. Il venait de faire le lien : la grande blonde était dans le jardin avec son père juste avant qu'il meure !

— Qu'est-ce qu'il y a ? demanda Marie-Josée Bélanger qui avait senti Vincent frémir à côté d'elle.

Il était encore plus blême qu'au moment où il s'était assis dans la voiture et avalait difficilement sa salive. Le contrecoup ? Le choc à retardement ? Il comprenait subitement que son père était vraiment mort ?

— Rien, répondit Vincent en détournant le regard.

Fortunato, assis à la place du conducteur, ne le quittait pas des yeux, redoutant que l'émotion lui donne la nausée. Il était vraiment pâle. Allait-il vomir dans la voiture ?

— Vous vous sentez mal ? dit-il en se penchant pour ouvrir la portière du passager.

— Je… Je suis…

Marie-Josée Bélanger n'eut que le temps de le pousser hors de la voiture avant qu'il vomisse. Elle attendit un peu et lui tendit un papier mouchoir.

— Je vais vous chercher un verre d'eau.

— C'est normal, dit Frank Fortunato. Vous êtes sous le choc. C'est toute une surprise, une mauvaise surprise.

Vincent s'essuya la bouche avant de secouer la tête et de murmurer qu'il ne comprenait rien à ce qui se passait.

— Où est votre belle-mère ? s'informa le policier. C'est normal qu'elle ne soit pas rentrée à cette heure ?

— Au chalet avec ses chevaux, j'imagine.

— Pouvez-vous nous donner son numéro de téléphone ?

— Son numéro ?

— On doit lui apprendre la nouvelle. Et on ne peut pas vous laisser seul ici. Avez-vous de la famille qui pourrait vous…

— Non. Êtes-vous certain qu'il est mort? Que c'est bien mon père?

Fortunato expliqua qu'il avait déjà témoigné devant le juge Ellis, qu'il l'avait tout de suite reconnu.

— C'était un excellent magistrat, ajouta-t-il. Vous deviez être fier de lui.

Était-ce une impression ou Vincent avait-il esquissé une moue de mépris?

Marie-Josée Bélanger revenait avec un verre d'eau que l'adolescent vida d'un trait.

— Vous étiez sorti avec des amis? lui demanda-t-elle. C'est une fin de soirée bien triste… À quelle heure avez-vous quitté la maison?

— Avant le souper. Je suis allé chez Michaël.

— Il réside près d'ici?

Vincent parut surpris par la question.

— Non, il a un appartement dans l'est. C'est cool.

— Et avec votre voiture, vous pouvez vous rendre chez lui facilement.

— Oui.

Pourquoi ce policier lui parlait-il de Michaël? Qu'est-ce que ça changeait qu'il habite ici ou là? Est-ce que son père était vraiment mort? Il avait souhaité si souvent qu'il crève… C'était impossible qu'il soit mort. Il devait rêver. Il se réveillerait et son père le sermonnerait pour une niaiserie.

— Ça ne se peut pas, murmura-t-il.

— Qu'est-ce qui ne se peut pas?

— Mon père ne se baigne jamais quand l'eau n'est pas assez chaude pour lui. Ça doit être quelqu'un d'autre qui est dans la piscine. Il faut que je le voie!

— On vient de comparer la victime avec la photo d'identité de sa carte d'assurance maladie. Il n'y a pas de doute. Et je l'ai déjà croisé au palais de justice. C'est préférable que vous restiez avec nous pour l'instant. Vous nous avez dit qu'il allait divorcer ? Était-il très abattu ?

— Abattu ? Il a été tué ?

— Non, nous n'avons pas dit cela. Abattu comme dans « triste ou déprimé ».

Vincent émit un rire rauque avant de secouer la tête.

— Déprimé ? Roland ? Pourquoi aurait-il été déprimé ?

— Divorcer est une épreuve. Ils étaient en conflit depuis longtemps ?

Vincent haussa les épaules avant de désigner le fourgon de l'identité judiciaire.

— Qu'est-ce qu'ils font ?

— Quand une personne décède sans témoin, broda Fortunato, on ne prend aucun risque, on inspecte les lieux attentivement.

— Ah, fit Vincent.

Il se demandait si la blonde s'était baignée avec son père. Avait-elle essayé de lui porter secours lorsqu'il avait eu ce malaise ou s'était-il noyé après son départ ? Mais pourquoi était-il allé nager ? Quoi qu'il en soit, son père avait eu le culot d'inviter Bianca chez eux. Il ne pouvait plus se contenter de baiser dans l'appartement du dernier étage de l'immeuble luxueux où il l'avait installée ? Vincent s'en voulait d'avoir trop traîné avec Michaël. S'il était arrivé quelques minutes plus tôt, il...

Il aurait fait quoi ? Il nageait en plein cauchemar. Il aurait dû suivre la blonde au lieu d'aller acheter des chips au dépanneur. « Tu vas tripper », avait promis Michaël. Pas tant que ça, finalement... Est-ce que les flics avaient deviné dans quel état il était ? Mais dans quel état était-il, justement ? Il les dévisagea avec tant d'intensité que Marie-Josée Bélanger le questionna: avait-il quelque chose de particulier à leur dire?

— Vous êtes vraiment là? marmonna-t-il.

Elle échangea un regard avec Fortunato en hochant la tête. Vincent n'allait pas bien du tout. Elle devrait appeler une assistante sociale si on ne rejoignait pas rapidement la belle-mère.

— Quel âge as-tu, Vincent?

— Je vais avoir dix-huit ans à la fin de l'été.

— On ne peut pas te laisser seul.

— Pourquoi?

— Tu viens de vivre un gros choc.

— Mais c'est chez nous, protesta-t-il mollement.

— C'est provisoire, on va trouver une solution en attendant ta belle-mère. Je lui ai laissé un message. J'espère qu'elle va me rappeler bientôt.

— Elle doit se promener avec un de ses chevaux.

— À cette heure-ci? Il est minuit.

— Elle est folle de l'équitation.

— Elle possède plusieurs bêtes?

— Deux ou trois.

— Bon, je vais voir comment on peut s'organiser pour la nuit, dit Marie-Josée Bélanger.

Elle aurait voulu proposer à Vincent Ellis d'aller dormir chez son ami Michaël, mais il était sous leur responsabilité puisqu'il n'avait pas encore atteint sa majorité.

— Tu as des oncles, des tantes?

— Non. Je l'ai déjà dit.

— Je vais communiquer avec une assistante sociale.

— Je veux me changer, déclara Vincent. Je veux me coucher…

— Ce ne sera pas possible dans l'immédiat. Peux-tu nous parler des voisins, en attendant?

— Quels voisins ?

— Vous vous connaissez bien ?

— Ils se plaignent quand on fait des fêtes autour de la piscine. C'est des vieux. Je…

Le grincement des roues de la civière sur laquelle reposait le corps de Roland Ellis fit sursauter Vincent.

Il se laissa tomber sur le siège de la voiture, mais s'étira le cou pour voir deux hommes faire rouler la civière jusqu'au fourgon de l'identité judiciaire. Il se mit à trembler tandis que Marie-Josée Bélanger lui tapotait maladroitement le dos.

* * *

ÉPISODE 11

Vendredi, 5 juillet 2013, 9 h

Guido tapota la page 7 du *Journal de Montréal* en soupirant.

— Je n'arrive pas à y croire. Le juge a mangé ici il y a quelques jours ! Le menu d'inspiration cajun. Il a adoré les beignets de crabe à la lime !

— Et le jambon au paprika fumé et haricots noirs, ajouta Joanie.

— J'ai un peu hésité à l'offrir aux clients. C'est assez lourd comme plat, mais tu avais raison, le côté rustique leur a plu. Heureusement que Roland Ellis n'est pas mort en sortant d'ici, je me serais senti responsable de sa noyade. S'il était allé se baigner après son souper… Pauvre Judith ! Elle est bien trop jeune pour être veuve.

— Ils devaient divorcer, avança Joanie. Ils ne venaient plus jamais souper ici ensemble. Je me demande si elle a du chagrin.

— C'est sûr ! s'exclama Guido. Ils ont vécu ensemble tellement longtemps.

— Tu devrais peut-être lui préparer un panier... avec des petites douceurs que j'irais lui porter, proposa Louise. Ce serait une façon de lui témoigner la sympathie de l'équipe de Carte Noire.

— Et je vais aller aux funérailles, promit Guido. Dans le journal, on ne dit pas quel jour aura lieu l'enterrement.

— Les enquêteurs n'ont probablement pas rendu le corps à la famille, expliqua Louise.

— Pourquoi ? demanda Martina.

— Parce qu'il faut faire une autopsie, répondit Joanie. Pour savoir ce qui a causé son décès.

— Il s'est noyé dans sa piscine, fit Guido, c'est écrit dans le journal.

— Non, c'est écrit qu'on l'a découvert dans sa piscine, rectifia Mélissa en s'approchant de la table où ils buvaient tous du café. Il a pu faire une crise cardiaque.

— Qu'est-ce que ça change ? déclara Guido. Il est mort et on doit penser à Mme Ellis. Je vais préparer un panier pour elle.

Louise hocha la tête. Elle appellerait Judith pour savoir si elle pouvait s'arrêter chez elle à la fin de l'après-midi.

— Elle doit être dans tous ses états !

Mélissa faillit dire que sa mère l'avait effectivement trouvée surexcitée lorsqu'elle s'était présentée au domicile des Ellis pour rencontrer Vincent, mais elle se tut. Contrairement à Joanie qui donnait son opinion sur tout, Mélissa avait fait sienne une phrase de l'auteur Rivarol : « Le silence n'a jamais trahi personne ». Et si elle apprenait à ses collègues que sa mère, en tant qu'assistante sociale, s'était rendue chez les Ellis quelques heures après la découverte du corps, Joanie ne la laisserait plus en paix. Elle avait bien assez de sa mère, à la maison, qui voulait toujours communiquer avec elle. Dieu que les gens étaient bavards !

Elle appréciait d'autant plus l'attitude réservée de Louise qui ne parlait jamais pour ne rien dire. Mélissa devait cependant admettre que, la veille, elle avait écouté Dorothée avec attention lorsque celle-ci lui avait appris que le fils orphelin fréquentait le même collège qu'elle.

— Il s'agit de Vincent Ellis.

— Vincent?

— Tu le connais?

— Un peu, avait répondu Mélissa en détournant le regard. Vincent Ellis! Qui l'avait comparée la semaine précédente à une des grenouilles disséquées au cours de bio. Elle le haïssait! Et se détestait de le trouver encore aussi beau. D'avoir rêvé à lui.

— Tu dois aussi connaître sa mère, continuait Dorothée. Judith Ellis est une cliente régulière de Carte Noire.

— Je n'ai pas le temps de regarder ce qui se passe dans la salle à manger. Tu es vraiment sûre que le père de Vincent est mort?

— Oui, ton copain joue les durs, mais la situation n'est pas simple pour lui. Roland Ellis et Judith étaient sur le point de se séparer. L'ambiance à la maison ne devait pas être très joyeuse. Et voilà que le père meurt subitement. Vincent ne sait pas comment réagir, alors il prétend qu'il n'a pas besoin de mon aide, mais il subira le contrecoup de ce décès. Après l'enterrement, il faudra être présent…

— C'est ce que tu as dit à Judith?

Dorothée avait eu une seconde d'hésitation avant d'avouer qu'elle n'était pas certaine que Judith était la meilleure candidate pour offrir du réconfort au fils éploré. Ni pour le surveiller. Judith ne semblait pas s'être aperçue que Vincent avait fumé avant leur entretien. Il avait engouffré un sac de chips et deux barres de chocolat en moins de quinze minutes, avait ri à trois reprises sans donner d'explications, marmonnant qu'il se comprenait lui-même. Il était bien le seul.

— Je suis bien chanceuse que tu ne prennes pas de drogue, avait-elle dit à Mélissa.

— Je n'ai pas d'argent à gaspiller.

— C'est le problème avec Vincent. Il a trop de fric à sa disposition. Il a pourtant tout pour lui. Il est beau, intelligent…

— Ils sont vraiment si riches, les Ellis ? s'était enquis Victor.

Il tentait de se remettre du choc qu'il avait eu en entendant Dorothée nommer la victime : Roland. Comme l'amant de Louise ?

— Si tu voyais leur résidence ! On se croirait dans une émission de télévision, quand on nous présente les plus belles demeures du Québec. Et la piscine ! Le jardin ! C'est somptueux.

— C'est Vincent qui héritera ? avait demandé Mélissa.

— Je suppose. Quel genre de garçon est-il ?

— Je ne sais pas, je ne lui parle pas.

— Pourquoi ? avait questionné Victor.

— C'est un crétin.

— Je ne l'ai pas trouvé si sot, avait protesté Dorothée. Et c'est un beau garçon.

À ce moment précis, elle avait fixé Mélissa qui avait rougi, haussé les épaules avant de poser une question inattendue : est-ce que Vincent avait pu tuer son père ? Dorothée avait eu un hoquet d'étonnement : qu'allait-elle inventer là ? Il n'était même pas présent quand son père était mort. Ce sont des patrouilleurs qui l'avaient découvert.

— Il a pu le tuer et partir, rétorqua Mélissa. Puis revenir et faire semblant d'être choqué par la nouvelle. Si je tuais quelqu'un, je ne resterais pas sur les lieux pour attendre les flics. Pas vous ?

Victor n'aimait vraiment pas le tour que prenait cette conversation. Il n'était pas du tout content que Dorothée se soit rendue chez les Ellis. Elle connaissait personnellement Judith, il lui semblait contre-indiqué qu'elle soit responsable de ce dossier familial. « Ça s'est fait par hasard, avait-elle répondu à Victor. Je ne savais pas que le garçon dont je devais m'occuper était son beau-fils. C'est quand elle est arrivée à la maison, quelques minutes après moi, que j'ai compris. Je ne pouvais tout de même pas les abandonner. J'étais là en tant qu'assistante sociale avec un boulot à faire, un rôle à jouer. »

« Je ne veux pas que tu te fatigues trop », avait marmonné Victor. Ce qui l'ennuyait dans cette histoire, c'était le fait que cette Judith était une cliente de Carte Noire, que Louise la connaissait. Et qu'elle était peut-être la maîtresse de son mari ! Il avait beau tenter de se persuader que la vie est remplie de drôles de coïncidences, il y arrivait difficilement. Il se répéta encore une fois qu'il aurait dû insister pour quitter Montréal lorsqu'il avait rencontré Dorothée. Mettre une bonne distance entre Louise et eux. Maintenant, à la veille de l'accouchement de Dorothée, il était trop tard pour y penser. Louise était-elle ou non mêlée à cette mort accidentelle ? Il se rappela celles de leur voisine à Québec, de Roland Ier et de Lalancette, et un long frisson lui parcourut l'échine.

— Il paraît qu'on tue toujours pour les mêmes raisons, avait repris Mélissa. L'appât du gain, un témoin gênant, la jalousie, l'envie ou…

— Il n'est pas question de meurtre que je sache, l'avait coupée Victor. On peut parler de quelque chose de plus gai ?

Au restaurant, en épluchant machinalement des pommes de terre, Mélissa repensait au ton si sec qu'avait eu Victor la veille en l'interrompant. Pourquoi évoquer la mort de Roland Ellis lui déplaisait-il autant ? Il ne le connaissait même pas.

— Je vais cuire des meringues, dit Guido en terminant son café. Judith adore les macarons aux fraises.

— Elle sera sûrement touchée de cette attention, affirma Louise.

« Et j'aurai enfin l'occasion de la voir », pensa-t-elle.

Comment avait-elle réagi en apprenant le décès de Roland? Avait-elle réussi à donner le change à son fils, aux policiers et à cacher sa satisfaction? Combien de temps mettraient les enquêteurs à venir faire un tour chez Carte Noire? Car ils viendraient, Louise en était assurée. Ils questionneraient Judith sur les habitudes de Roland, apprendraient qu'il soupait au restaurant trois fois par semaine. Et ils fouineraient, ils chercheraient à savoir dans quel état d'esprit était le juge lors de son dernier souper chez Carte Noire. Était-il différent des autres soirs? Quand ils poseraient cette question, Louise saurait qu'on avait décelé la morphine à l'autopsie. Elle prétendrait n'avoir rien remarqué. Les policiers repartiraient pour interroger d'autres personnes. Encore et encore. Durant des jours? Louise croisa les doigts pour écarter la menace d'une enquête interminable.

— Peux-tu préparer aussi ton cake au prosciutto et romarin? Judith l'adore. Même si les émotions lui ont probablement coupé l'appétit, je suis persuadée qu'elle n'y résistera pas.

* * *

Vendredi, 5 juillet 2013, 13 h

Vincent fixait le lobe de l'oreille de Dorothée pour éviter de regarder son gros ventre. Les femmes enceintes le dégoûtaient. Il détestait leur nombril proéminent, leur démarche de canard et leur sourire béat. Dorothée était-elle revenue par professionnalisme à la maison ou était-ce Judith qui le lui avait demandé. Il n'avait vraiment pas besoin d'avoir une étrangère dans les jambes ces jours-ci!

D'un autre côté, il n'était pas très à l'aise de se retrouver seul avec sa belle-mère qui ne savait pas plus que lui quelle attitude il convenait d'adopter. Ils étaient tous deux soulagés lorsque la sonnerie du téléphone rompait les silences qui ponctuaient leurs si laborieux échanges. Les nombreuses visites des voisins qui, en temps normal les auraient contrariés, étaient aujourd'hui bienvenues. Tout pour éviter d'avoir une vraie discussion, tout pour éviter les vraies questions, les vrais enjeux.

Qu'était-il arrivé à Roland ? Était-il menacé ? Qui garderait la maison ? Qui hériterait de sa fortune ? Judith avait peut-être des réponses à certaines de ces questions, mais elle n'en avait rien laissé paraître. Si elle détenait la clé du coffre-fort, même si elle prétendait le contraire, elle avait pu lire le testament de Roland. L'avait-il modifié lorsqu'ils avaient décidé de divorcer ou hériterait-elle d'une partie de ses biens ? Vincent pensait à cet argent qui aurait dû lui revenir en totalité puisque Judith se séparait de son père. Mais il s'était souvent disputé avec Roland au cours des derniers mois, et celui-ci l'avait plus d'une fois menacé de lui couper les vivres. Avait-il pu changer des clauses dans le testament, lui laisser des miettes ? Et Bianca ? Roland avait-il eu la mauvaise idée de la coucher sur le testament ? Dans ce cas, cette information intéresserait sûrement les enquêteurs…

Comment réagirait la belle Bianca quand il lui présenterait cette hypothèse ? Et toutes les autres qu'il avait envisagées ? Tremblerait-elle ? Pourquoi ne pas aller la voir maintenant ? De toute manière, il en avait assez de rester là à ne rien faire. Il avait envie de fuir la maison, le regard étrange de Judith, l'indiscrète assistante sociale et surtout les enquêteurs qui étaient revenus en matinée soi-disant pour préciser quelques détails.

Quand Judith les avait questionnés sur leurs intentions, ils avaient été très évasifs. L'enquête suivait son cours.

— Quand récupérerons-nous le corps de mon mari ?

— Dès que nous en saurons plus sur les circonstances de sa mort. L'analyse toxicologique nous vaut quelques interrogations… Où s'est-il procuré la morphine ?

Judith avait été parfaitement sincère en répondant qu'elle l'ignorait. Et qu'elle ne comprenait pas pourquoi Roland avait avalé ces cachets. Ils s'étaient beaucoup éloignés l'un de l'autre ces derniers temps. Peut-être était-il aussi déprimé qu'elle par l'échec de leur mariage.

— Nous nous étions pourtant dit qu'on essaierait à nouveau, après avoir réfléchi chacun de notre côté. Nous pensions consulter un spécialiste. Ce n'était pas notre première crise…

— Mais vous aviez parlé de divorce, non ?

— Comme on en parle dans ces cas-là.

— Pour les assureurs, nous devons être parfaitement clairs. Si la mort de votre époux n'est pas accidentelle…

— Papa n'était pas déprimé ! avait déclaré Vincent. Ce n'était pas son genre de se suicider. Je suis sûr de ça !

Judith avait eu un sourire las en disant qu'il pouvait, lui aussi, moins bien connaître son père qu'il ne le croyait. Il avait haussé les épaules, mais plus tard Marie-Josée Bélanger l'avait rejoint dans le jardin où un employé s'affairait autour de la piscine que l'on vidait de son eau.

— Tu ne sembles pas partager l'opinion de ta belle-mère à propos de l'humeur de ton père, avait dit la policière.

— Il n'avait pas de raison d'être dépressif. Si c'est une manière pour les assureurs de nous priver de son assurance vie, je trouve ça très *cheap*.

— Ce n'est pas nous qui définissons les clauses d'une assurance vie. Notre boulot consiste seulement à faire toute la lumière sur une mort qui pourrait être suspecte. Ton père a peut-être été victime d'une vengeance.

— D'une vengeance? avait répété Vincent en mimant la surprise alors qu'il s'interrogeait depuis des heures sur la présence de Bianca dans leur jardin.

Avait-elle drogué son père? L'avait-elle poussé à l'eau? Mais pourquoi?

Ce n'était pas dans son intérêt qu'il disparaisse! D'autant qu'il devait divorcer! Mais peut-être qu'il lui avait dit, justement, qu'il ne comptait pas se remarier?

— Qui... qui aurait voulu se venger? avait-il bégayé.

— Tu sais que ton père a condamné de nombreux criminels.

— C'est dans leurs habitudes d'agir comme ça?

Marie-Josée Bélanger avait admis qu'il était plutôt rare qu'un juge soit tué par un détenu rancunier à sa sortie de prison, mais il fallait tout envisager.

C'était exactement ce que tentait de faire Vincent: penser à tous les scénarios. Avec son mal de tête, la tâche n'était pas aisée. Si seulement on pouvait le laisser tranquille. Après le départ des enquêteurs, l'assistante sociale avait sonné à leur porte. Et elle était encore là devant lui à poser toutes sortes de questions débiles.

— À quoi songes-tu? demanda Dorothée.

Vincent esquissa une moue.

— Tout se bouscule. Tout me paraît irréel.

— C'est normal, le rassura Dorothée. Tu es sous le choc. Tu veux vraiment rester ici avec Judith?

— Oui.

— Qu'est-ce que je peux faire pour toi?

— Me trouver des pilules pour dormir. Je fais des cauchemars...

Dorothée lui promit d'obtenir un rendez-vous avec un médecin dans la journée. Elle ne pouvait pas lui fournir de médicaments, bien sûr, mais elle avait des contacts avec une clinique et elle ferait le nécessaire.

— Non, non, je ne veux pas aller chez le médecin, dit Vincent.

Il se maudissait d'avoir mentionné les somnifères sans réfléchir. Il y avait tout ce qu'il fallait dans la pharmacie de Judith. Il s'était déjà servi à quelques reprises sans qu'elle s'en aperçoive.

— Ce serait pourtant une bonne chose.

— On peut attendre un jour ou deux. Je t'en reparlerai…

— Tu m'appelles quand tu veux. Tu as ma carte ?

Vincent hocha la tête avant de dire qu'il essaierait de faire une sieste. Il se sentait déjà mieux, juste de lui avoir parlé.

Comme Dorothée semblait dubitative, Vincent ajouta, sur le ton de la confidence, que Judith et lui ne s'étaient pas toujours entendus, mais, dans les circonstances actuelles, il appréciait son réconfort. Après tout, ils étaient les deux personnes les plus proches de Roland. Ils s'épauleraient mutuellement.

* * *

Vincent dut attendre presque une heure avant que l'exaspérante Dorothée Fortier finisse par quitter leur domicile. Qu'est-ce que Judith avait donc tant à lui raconter ? Parlait-elle de lui ? S'imaginait-elle qu'elle déciderait de son avenir ? Elle était dans le champ ! Il se changea, descendit au salon et avertit Judith qu'il allait rejoindre Michaël.

— J'étouffe un peu, dit-il.

— Je te comprends. Si je pouvais, je retournerais au chalet pour retrouver mes chevaux...

— Penses-tu que ce sera encore long pour que...

— J'espère que non! Ils ne me disent rien! s'énerva Judith. Je suis quand même sa femme!

Vincent hocha la tête avant de sortir. Judith avait eu l'intelligence de ne pas imiter son père en lui rappelant de ne pas rentrer trop tard. Au fond, s'il ne l'aimait pas, il reconnaissait qu'elle était moins emmerdante que Roland. L'idéal serait qu'il conserve la maison et qu'elle s'installe au chalet.

Il avait hâte de savoir ce que contenait le testament.

Alors qu'il se dirigeait vers sa voiture, une bourrasque de vent lui rappela que l'été était capricieux au Québec. Il imagina la lourde crinière blonde de Bianca Esposito soulevée par la brise. Il s'arrêta, foudroyé par une image qui venait de lui revenir en mémoire. Quand il avait vu Bianca s'enfuir de la maison, elle courait vers sa voiture les cheveux au vent. Sa chevelure flottait derrière elle, agitée par les mouvements de sa course. Elle ne s'était donc pas baignée avec son père... Qu'est-ce qui aurait pu pousser Roland à nager après son départ? Vincent était obsédé par ce détail concernant la température de l'eau: il n'avait jamais vu son père s'immerger à moins de 80 degrés. Il devait entendre la version de Bianca.

* * *

Vendredi, 5 juillet 2013, 14 h 30

Vincent se força à rouler plus lentement qu'à son habitude. Ce n'était pas le moment d'attirer l'attention des policiers. Il ouvrit la porte de l'immeuble de Bianca le cœur palpitant et faillit rebrousser chemin, espérant soudainement qu'elle soit absente, mais appuyant tout de même son index sur l'interphone. Tout lui semblait irréel : la mort de son père, l'image de Bianca qui s'engouffrait en vitesse dans sa voiture. Lui, ici, chez elle. Chez cette femme dont il regardait sans cesse les photos sur son téléphone.

— Oui ?

Elle avait la voix sexy ! Chaude et grave.

— C'est la livraison ? demanda-t-elle.

— Oui, mentit Vincent.

— Dernier étage à droite de l'ascenseur.

Vincent entendit le déclic de la porte, se précipita pour l'ouvrir, monta dans l'ascenseur en se répétant qu'il avait tous les droits de poser des questions à Bianca Esposito.

La porte de son appartement était déjà ouverte, elle se tenait en retrait et fronça les sourcils en constatant que Vincent n'avait aucun paquet pour elle.

— Je ne comprends pas...

— Je suis le fils de Roland Ellis. J'ai des questions à vous poser.

Il s'immobilisa à un mètre d'elle et respira son parfum, exotique, légèrement épicé.

— Vincent ? Je... Entre...

Quand elle ferma la porte derrière eux, elle le frôla et il sentit aussitôt son sexe frémir. Il devait vite penser à sa prof de maths, si moche. Aux examens de fin d'année. À l'héritage qui lui filerait peut-être sous le nez. Mais voir Bianca en personne, après l'avoir contemplée en photo, était si troublant ! Il se reprit : il était là en mission !

— Je... je savais que tu existais, commença-t-elle. Mais Roland parlait de toi comme d'un enfant... Je n'imaginais pas rencontrer un homme !

— Mon père ne s'est pas aperçu que j'avais changé. Il n'est... n'était pas assez souvent à la maison. Il était occupé ailleurs...

— Ah! Tu es ici pour me faire des reproches? Crois-tu que c'est vraiment le moment? On devrait plutôt penser à Roland...

Vincent la coupa. Il était venu pour discuter avec elle d'un point précis.

— Ah oui? Lequel?

— Votre présence chez nous, l'autre soir. Je vous ai vue quitter la maison à toute vitesse. Ensuite, les policiers le découvrent dans la piscine. Vous êtes sûrement la dernière personne à l'avoir vu vivant.

— Et alors?

— Je crois que ça pourrait intéresser les enquêteurs.

— Mais tu ne leur as pas encore parlé de moi, je me trompe?

— J'aimais mieux en discuter avec toi avant.

Il laissait tomber le vouvoiement puisqu'elle l'avait d'emblée tutoyé. Ils avaient quoi? Dix ans de différence? L'écart était moins grand entre elle et lui qu'entre elle et Roland. Elle était encore plus belle de près! Sa robe courte laissait voir ses jambes jusqu'à la mi-cuisse. Des cuisses fermes, dorées comme des miches de pain. Il aurait voulu les embrasser, les goûter.

— Qu'est-ce que tu désires? dit Bianca interrompant sa rêverie.

— Savoir ce qui s'est passé, répondit Vincent après quelques secondes, excité par la façon dont cette femme avait prononcé le mot «désires»... comme une promesse. Il savait tellement ce qu'il désirait!

— Moi aussi, figure-toi! fit-elle en disparaissant vers la cuisinette. Veux-tu une bière? Un verre de vin? Je sais qu'il est tôt, mais j'en ai besoin avec toutes ces émotions. Te voir ici...

Il hésitait à la suivre à la cuisine, demeura immobile dans le salon, se sentant tout bête. Devait-il s'asseoir ou non? La jeune femme revint avec deux bières glacées qu'elle posa sur la table devant le canapé de cuir. Elle fit signe à Vincent de prendre place à côté d'elle. Elle but une longue gorgée avant de poser la bouteille et d'avouer qu'elle ignorait ce qui était arrivé à Roland.

— Je lui avais téléphoné pour le prévenir que je passerais récupérer une chaîne en or qu'il m'avait offerte et que j'avais oubliée dans sa voiture. Je l'ai vu qui flottait, là, dans la piscine. J'ai paniqué et je suis repartie sans réfléchir!

— Tu n'as pas vérifié si tu pouvais le sauver? Peut-être qu'il respirait encore?

Bianca posa sa main sur l'avant-bras de Vincent et murmura qu'elle était certaine qu'il était mort.

— J'ai déjà trouvé un de mes oncles noyé dans la piscine familiale, mentit-elle. J'ai eu l'impression de revivre la même scène. C'était horrible.

Elle se pinça les lèvres comme si elle retenait une plainte, appuya un peu plus fort sa main sur le bras de Vincent.

— Mais pour toi, ça devait être terrible! J'aurais dû demeurer sur place, t'empêcher de le découvrir, d'avoir cette vision pour le reste de tes jours. J'ai été lâche. Mais j'ai paniqué, je ne savais pas comment expliquer ma présence... Roland m'avait invitée à le rejoindre... mais je ne pouvais tout de même pas téléphoner à la police pour leur raconter que j'avais trouvé mon amant inanimé. Face à Judith, c'était embêtant. Que sait-elle, au juste?

— Que tu couches avec mon père. Tu n'es pas la première avec qui il l'a trompée. Il m'avait demandé de lui laisser la maison pour la soirée...

Bianca but une gorgée s'interrogeant. Que savait exactement Vincent? Que lui avaient révélé les policiers? Avait-elle oublié un détail ? Elle se revoyait récupérer les clés dans la poche du pantalon de Roland, vouloir entrer dans la maison, s'enfuir en entendant des voix tout près du jardin.

— Je suppose que je ne pourrai pas aller aux funérailles, regretta-t-elle. C'est pour quand ?

— On ne le sait pas. On ne sait rien. Ou plutôt, ils ne savent rien. Ils ne savent pas que tu étais là. C'est peut-être toi qui l'as poussé dans l'eau...

— Moi ? s'exclama-t-elle. Pourquoi aurais-je fait ça ?

— Judith ne voulait plus divorcer. Ils avaient décidé de consulter un thérapeute conjugal. Peut-être que mon père a rompu avec toi et que ça t'a mise en colère. Tu l'as poussé, il a heurté le bord de la piscine et il a coulé. Ça arrive tous les jours, des accidents.

Bianca observait Vincent en se remémorant les paroles de Roland à propos de son fils : il était paresseux mais loin d'être sot. Et pas tellement ému quand il évoquait son père. Bianca se souvenait que Roland lui avait avoué qu'il avait hâte que son fils soit majeur et quitte la maison. Il en avait marre de leurs incessantes disputes, de son manque de respect, de ses exigences. « Il ne parle que de sa maudite moto, comme si c'était un dû, alors qu'il continue de fumer ses joints bien que je le lui aie interdit. Il pense que je ne sais rien, mais je ne suis pas né de la dernière pluie. Il va finir par m'attirer des ennuis. »

— Qu'est-ce que ça te rapporterait de me mêler à tout ça ? Tu me détestes ?

Elle se pencha vers Vincent en le dévisageant, désireuse d'accentuer le trouble qu'elle avait fait naître en lui.

— Il... il faut que l'enquête avance pour qu'on puisse enterrer mon père. Les policiers fouillent dans tous les coins de la maison.

— Et ça t'ennuie? Tu ne peux pas fumer de la dope en paix dans le jardin?

Il garda le silence. Même s'il n'avait pas imaginé comment se déroulerait cette rencontre, il avait le sentiment que rien ne se passait comme il l'avait prévu. C'était trop bizarre! Il était incapable de se concentrer avec elle à côté de lui. Si chaude.

— Ou tu as besoin d'argent, c'est ça? reprit Bianca. Tant que les enquêteurs ne concluront pas à un accident, vous devrez attendre? Ses actifs, ses comptes sont gelés?

— On ne peut même pas ouvrir le coffre. On ne trouve pas les clés.

— Et s'il s'est suicidé, continua Bianca en apprenant avec soulagement que le coffre était toujours fermé, vous devrez dire adieu à l'assurance vie? Tu voudrais que j'aie fait quelque chose, parce que ça te prend un coupable? Mais je n'ai rien fait pour qu'il se suicide, si c'est ce qui s'est passé. Sauf que je n'y crois pas. Ce n'était pas le genre de Roland de mettre fin à ses jours.

— En attendant, les enquêteurs continuent à se poser des questions…

Bianca se leva, marcha vers la fenêtre, ouvrit grand les rideaux, fit signe à Vincent de la rejoindre.

— Dis-le-moi! Dis-moi que tu penses que j'ai tué ton père! Regarde la vue que j'ai d'ici. Tout Montréal à mes pieds! Crois-tu que j'aurais été assez bête pour renoncer à tout ça? Ton père allait divorcer et vivre avec moi. Judith invente leurs projets de thérapie conjugale pour passer pour une veuve éplorée, mais Roland avait déjà entamé la procédure de divorce.

Elle ne parla pas de la personne en survêtement qu'elle avait entrevue dans le jardin. Si c'était Louise, comme elle le supposait, il valait mieux que Vincent ignore son rôle pour l'instant. Elle secoua la tête.

— Quoi?

— C'est trop bête... Ton père avait décidé de t'offrir la moto que tu lui demandais.

— Quoi?

— Nous sommes même allés visiter un concessionnaire Honda ensemble.

— Je ne te crois pas.

— Tu n'as qu'à venir avec moi pour rencontrer le vendeur. Je suis sûre qu'il se souvient de moi. Ton père m'a laissée discuter avec lui parce que j'ai déjà eu une moto. Une Harley. Après avoir fait une pub pour la compagnie.

Bianca ne mentait pas. Elle s'était rendue chez un concessionnaire et avait discuté des prix, des modes de paiement avec un vendeur, mais il n'avait jamais été question d'en faire cadeau à Vincent. Elle s'était informée pour elle-même. Pour plus tard. Quand Roland lui aurait remis un autre chèque. Elle aimait cette image d'elle chevauchant une moto. Ce serait bien pour le clip qu'elle voulait réaliser pour faire connaître ses bijoux. Audace et fougue!

— Tu constateras que je ne te mens pas. Évidemment, maintenant, c'est différent. Penses-tu que Judith pourrait la payer?

— Elle ne voudra jamais!

— Mais l'argent de ton père te revient! fit Bianca avec véhémence. Je lui avais dit qu'il ne devait pas attendre ton anniversaire pour te l'offrir, pour que tu puisses en profiter tout l'été. Tu y as droit...

— J'aurais même hérité de tout, s'ils avaient divorcé. Es-tu certaine de ce que tu m'as dit?

— Ton père m'a juré qu'il avait rencontré un avocat. Il faut que tu trouves de qui il s'agit. Judith ne t'en parlera sûrement pas. Ce n'est pas dans son intérêt... Une autre bière?

Elle fit semblant d'échapper la bouteille vide de Vincent pour devoir se pencher devant lui, lui offrit une vue imprenable sur son soutien-gorge en dentelle noire qui faisait ressortir l'éclat doré de sa peau. Elle retourna à la cuisine en souriant, l'érection instantanée de Vincent la satisfaisait. Il serait facile à manipuler. Elle pourrait retourner à la demeure des Ellis et s'approcher du coffre, piquer les enregistrements et les remettre à Michel Dion. Avec les difficultés qui avaient surgi récemment, elle exigerait qu'il double le montant prévu pour cette mission. En attendant de séduire le fils Ellis, et le temps qu'il touche son héritage, elle aurait un petit coussin qui lui permettrait de payer le designer qui travaillait avec elle sur sa prochaine collection de bijoux. Et ses fournisseurs.

* * *

ÉPISODE 12

Vendredi, 5 juillet 2013, 14 h 30

Le soleil brillait et Dorothée aurait dû remarquer le vert éclatant des feuilles des ormes plantés devant la demeure des Ellis, les pivoines roses et blanches, ainsi que le parterre de campanules d'un mauve éclatant, mais elle était trop perturbée pour penser à autre chose qu'à respirer calmement jusqu'à sa voiture. Au cas où Judith, qui était devant la fenêtre du salon quand elle l'avait quittée, la regarderait s'éloigner. Elle ne devait en aucun cas deviner à quel point elle était bouleversée.

Dorothée aurait souhaité n'avoir jamais vu cette photo de Judith et Roland, souriant à l'objectif lors d'une soirée caritative. Roland était le type dont s'était éprise Louise. Elle ne l'avait pas reconnu lorsqu'elle avait lu l'article dans le journal, car la photo en médaillon montrait un Roland Ellis d'au moins dix ans plus jeune, plus mince, avec des cheveux. Mais la photo du juge, dans le salon, était récente et ne laissait aucun doute sur son identité. C'était bien le type qu'elle avait vu avec Louise.

Quand Victor apprendrait cela ! Et Judith ! Pauvre Judith, doublement trahie ! Dorothée eut subitement envie de pleurer : alors que tout allait si bien, elle était maintenant désemparée. Pour la première fois depuis longtemps, elle ne savait vraiment pas ce qu'elle devait faire. Victor l'aiderait à y voir clair. Elle enfonça la clé d'un geste résolu. Il lui tardait d'être auprès de lui.

* * *

Vendredi, 5 juillet 2013, 15 h

Judith parut surprise de reconnaître Louise quand elle lui ouvrit la porte. Elle la dévisagea un moment avant de voir le panier qu'elle lui tendait.

— C'est de notre part à tous. De petites douceurs pour vous aider dans ces moments difficiles. Je voulais venir ce matin, mais nous avions trois groupes ce midi.

— C'est... vraiment gentil... J'avoue que je n'ai pas beaucoup d'appétit.

— Il faut mettre les pâtés au réfrigérateur. Je m'en charge, si vous voulez.

— Les pâtés?

— Et une terrine de faisan, celle que vous préférez. Et le cake au prosciutto.

Judith fit signe à Louise de la suivre à la cuisine. Le chat Igor sauta sur une chaise, puis sur la table et enfin sur le comptoir lorsque Louise déballa les plats qu'elle avait apportés.

— Lui, il ne semble pas manquer d'appétit, dit-elle. Et Vincent? Il est ici?

— Non.

— Vous êtes un peu pâle. Comment allez-vous?

— Je ne sais pas, avoua Judith. C'est tellement subit.

— Que vous ont raconté les enquêteurs? Dans le journal, il n'y a rien de bien concret.

— Ils veulent être certains que c'est un accident. Pas un suicide. Il paraît qu'il était drogué. Roland! Drogué! Je n'y comprends rien.

— S'il s'est suicidé, avança Louise, vous ne toucherez pas l'assurance vie.

Le ton dénué de toute émotion de Louise saisit Judith. On aurait dit qu'elle parlait de banalités, alors qu'il était question de la mort de Roland. Même si Judith ne le regrettait pas, elle s'attendait à ce que Louise manifeste un peu plus de respect.

— Ce serait dommage que vous ne puissiez empocher l'assurance, répéta Louise.

— Je n'y peux rien, constata Judith. À moins qu'on ait la preuve qu'il a été tué. C'est ce que m'a dit Frank Fortunato. C'est ce qu'ils cherchent. Il paraît qu'il y a des tas de gens qui n'aimaient pas Roland. Qui souhaitaient peut-être sa mort.

— À commencer par vous. C'est ce que vous m'aviez dit.

Judith semblait interloquée. De quoi Louise parlait-elle? Celle-ci, qui refermait le réfrigérateur après avoir donné une petite part du gâteau à Igor, sourit à Judith.

— Ce soir où je vous ai ramenée ici, vous m'avez dit que vous étiez prête à payer cher pour vous débarrasser de votre époux.

— C'était une façon de parler...

— Vous n'êtes pas contente? Il vous trompait, vous mentait, s'apprêtait à divorcer. Vous auriez dû renoncer à vos chevaux...

— C'est vrai, admit Judith. Mais je ne pensais pas qu'il mourrait.

— Vous le souhaitiez pourtant. Vous ne vouliez pas perdre Orion et Mélusine.

— Évidemment que je ne veux pas être séparée de mes chevaux, mais...

— Donc vous êtes plutôt contente qu'il soit mort.

— Où voulez-vous en venir?

— Au fait que vous n'êtes pas obligée de jouer les veuves éplorées avec moi.

Judith dévisageait Louise, à la fois inquiète et anxieuse d'entendre ce qu'elle avait à lui dire.

— Et alors?

— Alors je pense que vous pourriez être reconnaissante envers la personne qui vous a débarrassée de Roland. Avant un divorce qui ne vous aurait pas laissé grand-chose.

— La personne? Quelle personne? s'écria Judith. Les enquêteurs n'ont rien avancé en ce sens…

— Mais ils peuvent arriver à cette conclusion. Ils vous soupçonnent déjà.

— J'ai un alibi. Ils l'ont vérifié. En quoi tout cela vous concerne-t-il?

— Je m'inquiète un peu pour vous. Si on vous accusait de complicité…

— De complicité? Avec qui?

— À qui avez-vous confié que vous souhaitiez la mort de Roland?

— De quoi voulez-vous…

Judith s'interrompit, pâlit en secouant la tête, refusant d'envisager l'hypothèse qui se frayait un chemin dans son esprit, tel le ver dans la pomme. Hypothèse que confirmait Louise la seconde suivante.

— Vous n'avez plus de soucis à vous faire, grâce à moi. Je me suis occupée de Roland.

Louise ne quittait pas Judith des yeux, guettant dans son regard l'étincelle qui démontrerait qu'elle avait compris ses propos.

— Occupée?

— Vous m'avez dit que vous vouliez le voir mort, répéta Louise. Que vous étiez prête à payer. Je l'ai poussé dans la piscine.

Judith fixa Louise: entendait-elle bien qu'elle avait tué Roland?

— Je l'ai drogué, puis il a basculé dans l'eau, précisait Louise. Et je l'ai forcé à rester là. On doit maintenant discuter un peu de la suite des choses.

— De la suite?

Louise retint un soupir d'exaspération. C'était agaçant, cette manie qu'avait Judith de tout répéter. Elle sortit son iPhone de la poche de sa veste, fit signe à Judith de s'asseoir et appuya sur le bouton pour lui permettre d'écouter l'enregistrement capté quelques semaines plus tôt.

Judith écarquilla les yeux, secoua de nouveau la tête, repoussant le moment où elle prendrait la pleine mesure des conséquences de ses divagations. Mais Louise était bien là devant elle avec cet enregistrement. Elle tenta de se rappeler si Roland avait déjà parlé de la validité d'un enregistrement comme preuve admissible en Cour. C'était bien sa voix, ses mots, mais ils relevaient de l'intention, du désir et n'impliquaient pas automatiquement qu'elle avait fomenté le meurtre de son mari. Comment Louise pensait-elle remettre cet enregistrement aux enquêteurs sans s'impliquer?

— Vous jouez à un jeu dangereux, Louise...

— Oui, mais je suis persuadée qu'on peut y trouver notre compte, toutes les deux.

Judith ne quittait toujours pas Louise des yeux, si calme, presque détendue, souriante et elle s'interrogea: avaient-elles vraiment cette conversation surréaliste? Louise avait-elle vraiment tué Roland? Mais pourquoi aurait-elle raconté tout cela, si c'était faux? Est-ce qu'elle pouvait être aussi posée, aussi sûre d'elle tout en étant folle? Car si elle ne mentait pas, il fallait qu'elle soit un peu dérangée pour avoir exécuté Roland. Aurait-elle déjà fait preuve de violence dans le passé?

Judith songea qu'il valait mieux, dans l'immédiat, ne pas la contrarier et tenter plutôt de savoir ce qu'elle voulait. Hormis lui rappeler que la mort de Roland la réjouissait. Ce qu'elle ne pouvait nier, si elle était honnête avec elle-même.

— Je sais bien que la morphine vous empêchera peut-être de toucher l'assurance vie, continuait Louise, mais il reste quand même beaucoup d'argent. Sans morphine, Roland aurait été trop difficile à maîtriser, et il ne fallait pas qu'il y ait de traces de lutte.

— De lutte?

— Il n'allait pas se laisser faire si facilement... Par contre, ce n'est pas une overdose. Prouver que c'est un suicide, alors qu'il buvait du champagne, sera malaisé pour l'assureur.

— Vous avez pensé à tout.

— Presque. Je suis embêtée, parce que les choses vont un peu traîner à cause de la fortune de votre mari, mais ça devrait se régler...

— Mais comment... comment... étiez-vous ici? Pourquoi?

— J'ai fait semblant d'être séduite. C'est vous qui m'en avez donné l'idée. Vous avez dit qu'il m'avait toujours draguée sans que je réponde à ses avances. Vous aviez raison, il a été très facile à convaincre. Il a cru que son charme légendaire agissait sur moi.

— Son charme? s'étonna Judith.

— Oui! dit Louise. Il n'a pas hésité une seconde à m'inviter chez vous. Il voulait m'emmener en Champagne. La semaine prochaine.

— C'est ridicule! parvint à articuler Judith.

Mais elle savait que tout était possible. Elle se souvenait de la manière qu'avait Roland de toujours suivre Louise du regard, au restaurant.

— Que comptait-il faire de Bianca ?

— La quitter. Vous quitter. Divorcer au plus vite pour être avec moi.

— Vous… vous… avez couché avec lui ?

Louise eut un geste de recul : jamais elle ne serait allée aussi loin ! Trois baisers avaient été échangés en tout et pour tout.

— Si j'avais voulu de lui, j'aurais sûrement profité de son argent. Mais un homme qui maltraite les animaux n'a aucune chance avec moi. Vous m'aviez parlé de son dégoût pour Orion et Mélusine, de son rejet d'Igor. J'ai eu du mal à le laisser m'embrasser. J'étais gênée vis-à-vis de vous.

— Vraiment ?

Louise haussa les épaules.

— Vous n'êtes pas obligée de me croire, mais réfléchissez. Pourquoi aurais-je enduré Roland, si j'avais pu l'éviter ? Il n'est pas si séduisant. Mais je n'avais pas le choix.

— Donc vous êtes venue ici, vous l'avez vu et tué. C'est aussi simple que ça ?

Louise esquissa un geste d'agacement avant d'avouer que Bianca était présente, elle aussi, ce soir-là.

— Qu'est-ce que vous faisiez avec cette traînée ?

— Rien ! Je venais de nous débarrasser de Roland et je récupérais mon sac quand elle s'est pointée à la porte du jardin. Je suis partie à toute vitesse. Mais elle était là…

— Elle vous a vue ? Reconnue ?

Louise l'ignorait. Tout s'était passé si vite.

— J'avais mon survêtement avec mon capuchon. Je ne pense pas que nous aurons des ennuis avec elle, mais je préférais vous en aviser.

— Des ennuis ?

— Si Bianca mentionne ma présence sur les lieux aux enquêteurs.

— Pourquoi parlerait-elle de vous ?

— Bianca parlera de moi aux enquêteurs s'ils l'interrogent. Et cela arrivera si vous leur révélez son existence.

— Je n'ai aucun intérêt à évoquer cette Bianca ! Les enquêteurs s'imagineront aussitôt que j'avais un bon motif pour souhaiter la mort de Roland. Ils seront persuadés que la jalousie m'a poussée au crime. Même si j'ai un alibi, ils croiront que j'avais un complice.

— Le mieux, c'est d'en dire le moins possible aux enquêteurs.

Judith soupira. Cette conversation était tellement bizarre ! Mais elle devait admettre que la mort de Roland tombait vraiment à point nommé. Et elle était satisfaite de connaître les circonstances de son décès, même si elle se demandait comment gérer ces incroyables révélations. Elle avait pourtant l'habitude des surprises avec Roland ! Elle devait garder son calme, comme elle l'avait fait si longtemps avec lui pour préserver sa sécurité et son confort. Elle souhaitait que les choses se règlent rapidement. Cependant, elle avait compris que ce serait peut-être compliqué lorsque les enquêteurs lui avaient posé toutes ces questions. Elle aurait dû se douter que cette mort providentielle était louche.

Et voici que Louise était assise en face d'elle à la table de la cuisine et qu'elle lui parlait de la maîtresse éconduite de Roland, cette grande blonde extravagante.

— Je n'ai jamais vu une femme porter autant de bijoux en même temps, dit-elle.

— C'est vrai qu'elle n'est pas trop discrète, convint Louise.

— Seigneur Dieu ! s'écria Judith. La breloque en argent doit être à elle.

— Quelle breloque ?

— Celle que les enquêteurs ont trouvée dans le salon. Ils me l'ont montrée. J'ai dit que je ne portais que de l'or et que je ne savais pas à qui elle appartenait. Peut-être à une amie de Vincent. Je n'ai pas pensé que Roland pouvait emmener Bianca sous notre propre toit.

— Ça ne l'a pas gêné avec moi. Qu'est devenue la breloque ?

— Les enquêteurs l'ont montrée à Vincent, mais il ne l'a pas reconnue. Ils l'ont conservée. Ils ne m'ont pas dit pourquoi. Ils ne me disent rien. Comme s'ils me croyaient coupable…

— Ils soupçonnent toujours les proches, en cas de décès suspect. C'est vous qui hériterez de sa fortune.

— Je l'espère bien !

— Vous n'avez pas lu son testament ?

— Non. Pas encore.

— Mais vous hériterez ?

— Ça semble vous préoccuper.

— Oui. J'espère que ça ne tardera pas trop. J'ai besoin d'argent.

Judith eut un rire désabusé.

— Nous y voilà ! fit-elle.

— Je vous ai rendu service. C'est à votre tour de me renvoyer l'ascenseur. Vous avez dit que Roland valait au moins vingt millions. Je ne veux qu'un million. Ce n'est pas si cher payé pour mener enfin la vie que vous souhaitiez. Vous pourrez avoir tous les chevaux que vous voulez !

Judith faillit protester, se ravisa avant de demander à Louise pourquoi elle avait besoin de tout ce fric.

— Pour acheter l'immeuble où j'habite. Il est en vente et je n'ai pas la somme nécessaire pour l'acquérir. J'ai donc un urgent besoin d'argent. Je peux compter sur votre collaboration ?

— Je ne sais pas ce qui va se passer avec l'enquête, répondit Judith pour éluder la question.

— Les enquêteurs seront bien obligés de conclure à un accident, en l'absence de preuves. Alors, c'est oui ?

— Mais j'ignore si j'hérite. Il a peut-être tout laissé à Vincent. Ça ne me surprendrait pas de la part de mon cher époux.

— Vous n'êtes pas sérieuse ! dit Louise d'un ton moins assuré.

— Le droit était le domaine de Roland. S'il a trouvé une faille dans notre contrat de mariage…

— Quand aurez-vous accès au testament ?

— Quand les enquêteurs me foutront la paix. Ils sont persuadés que la fortune de Roland est un puissant incitatif au meurtre.

— Il faut que l'enquête avance plus vite et qu'ils vous rendent le corps ! dit Louise.

Judith observait Louise, se demandait comment elle aurait pu deviner que cette femme était aussi étrange. Elle parlait du meurtre de Roland avec un froid détachement. Judith était incapable de s'imaginer en train de tuer quelqu'un. Même Roland. Mais Louise ne semblait pas du tout émue par cet assassinat. Comme si c'était naturel pour elle… Avait-elle de l'expérience en la matière ?

Judith déglutit, songea qu'il valait mieux après tout satisfaire Louise.

— C'est d'accord pour un million. Si je touche l'héritage, évidemment.

— Maintenant, on croise les doigts pour que les enquêteurs vous rendent le corps, qu'on l'enterre et qu'on l'oublie!

— Oui, j'ai envie de repartir au chalet, mais je ne veux pas laisser la maison à Vincent. Dieu sait ce qu'il en fera!

— Restera-t-il ici à sa majorité?

Judith leva les yeux au ciel: cela dépendrait du testament. Elle ignorait à qui Roland avait légué la maison.

— Vous partez du principe que j'hérite de la moitié des biens, rappela-t-elle à Louise, mais nous n'en savons rien.

— Mais il était tout de même préférable que Roland disparaisse avant que vous divorciez.

— C'est sûr, admit Judith.

— Vous n'avez pas accès à son coffre-fort?

— Je ne trouve pas les clés de Roland. Je les ai cherchées partout dans la maison sans succès, fit Judith.

Elle ne précisa pas qu'il y avait un double de ces clés au chalet. Où elle ne pouvait se rendre ces jours-ci, avec ces enquêteurs qui débarquaient à tout moment.

— Est-ce que les enquêteurs pourraient les avoir prises? Ou Vincent?

Judith poussa un soupir de contrariété.

— Si c'est lui, il niera. Quant aux enquêteurs, ce sont eux qui m'ont fait remarquer que Roland n'avait aucune clé sur lui, alors qu'ils ont trouvé de la monnaie dans une poche de son pantalon.

— Aucune clé? Elles étaient là, dans la poche de son pantalon, quand j'ai fouillé pour vérifier qu'il n'y avait rien qui le reliait à moi. Mais il n'avait même pas la carte du resto.

— Il savait le numéro de téléphone par cœur. Vous êtes sûre que son trousseau de clés était là?

— Oui!

— Il faut bien qu'elles soient quelque part, mais je vous jure que j'ai regardé partout.

Louise laissa échapper un soupir d'exaspération. Bianca devait les avoir volées !

— Pour quelle raison ?

— On ne sait rien de cette femme, mais elle m'a tout l'air d'être une aventurière.

— Une voleuse ?

— Elle avait un but en prenant les clés. Pourquoi veut-elle revenir ici ? Il y a plusieurs tableaux de valeur, des bijoux, un coffre-fort, non ?

— Oui. Assez pour la tenter...

— C'est très ennuyeux.

— Oui, c'était déjà assez compliqué !

Les deux femmes se regardèrent un moment, puis Louise se leva. Elle devait passer chez elle avant de retourner au restaurant, mais elle réfléchirait à une solution.

* * *

Vendredi, 5 juillet 2013, 16 h

Dorothée dévisageait Victor, incrédule. Comment pouvait-il se montrer si peu ému par ses révélations ? Elle lui apprenait que Louise était la maîtresse du juge et c'est à peine s'il réagissait.

— Ce ne sont pas nos affaires. Comment l'as-tu appris ?

— Parce que je suis allée chez lui. Chez eux. C'est l'amant de Louise qui est mort dans sa piscine.

— Qu'est-ce que tu racontes ?

— Le juge Ellis était l'amant de Louise.

— De Louise?

Dorothée continua son récit. Elle avait passé un bon moment auprès de Vincent et Judith et, alors qu'elle quittait la résidence des Ellis, elle avait vu une photo de Roland et Judith sur le piano à queue, dans le salon.

— Tu dois te tromper, marmonna Victor, qui savait hélas que Dorothée avait raison.

— Non, je ne me trompe pas. On ne peut pas laisser Mélissa travailler pour Louise. Judith s'imaginera que je suis du côté de ton ex, alors que c'est le contraire.

Victor soupira. Mélissa serait déçue si elle devait quitter son emploi.

— De toute manière, c'est Guido qui l'a fait entrer au resto.

— C'est moi qui ai présenté Mélissa à Louise... Je ne peux pas laisser passer ça! Louise connaît Judith. C'est une de ses clientes et ça ne l'a pas empêchée d'avoir une liaison avec son mari.

— Je te rappelle que nous avons eu aussi ce genre de relation avant que je me sépare de Louise.

— Pourquoi la protèges-tu? s'énerva Dorothée.

— Tu te trompes, protesta Victor.

Il n'arrêtait pas de se dire que Louise était encore associée à une mort violente, qu'il aurait dû partir très loin au lieu de vouloir garder un lien avec elle. Elle avait toujours été imprévisible... Était-elle pour quelque chose dans la mort du juge?

— Qu'est-ce que je vais faire? se lamenta Dorothée.

— Rien, ma chérie. Dans ton état, tu ne devrais pas t'énerver ainsi. Il s'agit d'adultes, pas de jeunes dont tu dois t'occuper.

— Mais si, justement! Je dois m'occuper de leur fils Vincent. Il n'est pas majeur. C'est mon travail!

— Sa mère est là. Tu veux toujours en faire trop. Il faut que tu te reposes. Tu accoucheras bientôt…

— Judith n'est pas sa mère, le coupa Dorothée.

— Elle est tout de même responsable de lui. Ce n'est pas ton problème, insista Victor.

Il redoutait surtout que ça devienne le sien ! Que Louise le mêle à cette histoire. Comme elle l'avait fait trente ans auparavant. Non ! C'était impossible ! Il devait se calmer, lui aussi.

— Je veux que tu te reposes, reprit-il. C'est le plus important.

— Mais Mélissa…

— Mélissa parle à peine avec Louise. Inutile de lui raconter ce que tu sais sur sa patronne. Si elle quitte Carte Noire, elle aura de la difficulté à trouver un autre emploi. Elle s'entend bien avec Guido, qui est son chef direct, c'est le principal.

Dorothée finit par se laisser convaincre, mais avertit Victor : rien ne serait plus jamais pareil entre elle et Louise.

— Je ne peux pas être amie avec une traîtresse. Je la verrai moins, dorénavant.

— Bonne idée ! approuva Victor. Très bonne idée.

Est-ce que les enquêteurs remonteraient jusqu'à Louise ? Repenseraient-ils à Lalancette ? Et à la mort de leur voisine, à Québec ? Si le nom de Louise apparaissait de nouveau dans ce dossier, peut-être qu'ils se mettraient à chercher vraiment à connaître la vérité… Mais pourquoi Louise aurait-elle tué Roland Ellis, s'ils étaient amoureux ? Parce qu'il refusait de divorcer ? Elle n'avait pourtant jamais tenu au mariage.

Il ne comprendrait jamais son ex. Jamais. Ni avant, ni maintenant, ni après. Chose certaine, il était déterminé à déménager, à éloigner sa famille de Louise dès que ce serait possible. Il devait élever leur enfant dans les meilleures conditions, couper définitivement avec son passé.

— Je vais révéler ce que je sais à Judith, déclara Dorothée. Elle ne peut plus continuer à aller chez Carte Noire sans savoir que Louise et Roland la trompaient. Quels hypocrites!

* * *

ÉPISODE 13

Vendredi, 5 juillet 2013, 16 h 30

Deux vieilles dames traversaient la rue lorsque Louise sortit de son immeuble, mais elle ne vit que Bianca, sur le trottoir d'en face, qui l'attendait. Comment savait-elle où elle habitait? Il était impossible qu'elle l'ait suivie après le meurtre de Roland! Elle la regarda s'avancer vers elle, attendit qu'elle soit à sa hauteur.

— Que me voulez-vous?

— Laisse faire les politesses. On va parler de notre beau Roland. Qui flottait dans la piscine quand tu es partie de chez lui. Tu n'as pas été tentée de le sortir de là?

— Je ne comprends rien à ce que vous racontez.

— Tu étais chez le juge.

— Vous faites erreur.

— Arrête de mentir. Tu étais là, je t'ai vue.

— Donc vous y étiez aussi. C'est vous qui l'avez tué?

— Non! Mais je n'ai pas envie que les enquêteurs me posent des questions.

— Pourquoi vous en poseraient-ils?

— S'il te prenait l'envie de leur parler de moi.

Louise secoua la tête.

Bianca sourit: c'était parfait, elles se comprenaient très bien. Elle fouilla dans son sac, tendit une photo à Louise qui la représentait devant chez elle au moment où Roland l'embrassait. Malgré son étonnement, Louise ne broncha pas. Il n'était pas question qu'elle se laisse démonter par cette intrigante, mais elle se demandait néanmoins comment Bianca s'était procuré ce cliché. Comment ne s'était-elle pas rendu compte qu'elle la suivait ?

— Si tu changes d'idée et que les enquêteurs viennent me voir, je leur parlerai de toi. *Capisce*?

— Parfaitement.

Louise s'éloigna en réfléchissant intensément. Elle détestait manquer d'emprise sur les événements. Elle chercha dans son sac à main les clés de sa voiture. Elle n'irait pas à pied au resto comme d'habitude, mais retournerait chez Judith pour la prévenir de l'existence de cette photo. Il fallait corriger rapidement la situation. Elle aurait pu lui téléphoner, mais elle voulait s'assurer de son sang-froid. Elle s'arrêta en route pour acheter un bouquet de fleurs. Si les enquêteurs étaient sur place, elle prétendrait vouloir les offrir à Judith pour la réconforter.

* * *

Vendredi, 5 juillet 2013, 17 h

Judith venait de se resservir un verre de Chardonnay quand on sonna à la porte d'entrée. Elle poussa un long soupir : qui venait encore la déranger ? Elle ouvrit la porte d'un geste brusque, reconnut les enquêteurs Bélanger et Fortunato, s'effaça devant eux pour les laisser entrer.

— J'espère que vous venez m'annoncer que je peux récupérer le corps de mon mari.

— Pas encore, mais ça ne devrait plus tarder, promit Marie-Josée Bélanger. On a seulement une petite question à vous poser. Connaissez-vous une certaine Bianca Esposito, ou plutôt Bianca Bédard ?

— Bianca Bédard ? répéta Judith pour grapiller quelques secondes de réflexion. Je devrais ?

— Il semble qu'elle était très proche de votre mari, avança Frank Fortunato.

— Ah, dit Judith. Comme toutes les autres avant elle, je suppose.

— Votre mari avait des aventures ? Vous ne nous en avez pas parlé…

— Être cocue n'est pas une chose dont j'aime particulièrement me vanter.

— Et cette Bianca, insista Marie-Josée Bélanger, ça vous dit quelque chose ?

Judith soupira exagérément. Elle l'avait peut-être déjà vue. Il n'était pas rare que les maîtresses de son mari soient présentes dans la même pièce qu'elle lors d'événements sociaux.

— Ça excitait Roland, je suppose, de savoir une maîtresse tout près de lui alors que j'étais à ses côtés. Ça devait augmenter le plaisir de l'interdiction, du secret.

— Vous le saviez ? s'étonna Fortunato.

— Une femme connaît son conjoint.

— Il savait que vous le saviez ?

— Après vingt ans de mariage, on n'a plus grand-chose à cacher. Qui vous a parlé d'elle ?

— On enquête auprès de ses collègues et amis au Palais. Un avocat nous a dit qu'il l'avait croisé dans une galerie d'art avec cette femme. On l'a repérée sur les vidéos de surveillance de la galerie. Et voilà.

— Qu'aurait-elle à voir dans la mort de Roland ? questionna Judith. Je ne comprends rien à tout ça ! Mon mari s'est noyé et je veux l'enterrer. Est-ce trop exiger ?

— Votre mari vaut des millions de dollars, madame Ellis. Ce n'est pas un détail. On ne peut rien négliger. Des analyses préliminaires ont révélé de la morphine dans son sang.

— Je n'ai pas de réponse, hormis le fait qu'il s'était plaint de son dos récemment. Je vous l'ai déjà dit. Il a bu après avoir pris des médicaments et il est tombé dans la piscine. Plus j'y pense, plus je suis persuadée que sa mort est un accident. Combien y a-t-il de noyades au Québec, chaque année ?

— On peut s'asseoir ? s'enquit Marie-Josée Bélanger en se dirigeant vers la salle à manger. On a autre chose à vous dire.

Judith la suivit, ralentit devant la cuisine : voulaient-ils un café ? Un verre d'eau ? Ils secouèrent la tête, ils ne voulaient pas déranger.

— Qu'y a-t-il de nouveau ?

— La breloque en argent, vous vous souvenez ? On pense qu'elle appartient à cette Bianca. Voyez-vous, cette femme fabrique des bijoux… originaux. La propriétaire de la galerie les avait remarqués, elle a même acheté deux colliers. Elle nous a donné le nom de la créatrice. Bianca Esposito. Qui semble avoir perdu cette breloque chez vous. Puisqu'elle n'est ni à vous ni à une amie de votre beau-fils.

Judith haussa les épaules, se gardant de tout commentaire. Qu'aurait-elle dit de toute façon ? Il était certain, maintenant, que ces enquêteurs interrogeraient Bianca. Qui parlerait de Louise. Que c'était donc épuisant de récupérer un corps et de l'ensevelir !

— Nous faisons notre possible pour élucider les zones d'ombre, dit Frank Fortunato. On ne laisse rien au hasard.

Judith n'en doutait pas, hélas.

* * *

Vendredi, 5 juillet 2013, 17 h 35

La pluie tombait dru et aucun Montréalais ne prendrait le temps d'admirer les arbres en fleurs du parc La Fontaine ou du mont Royal. Les gens se cachaient sous leurs parapluies et marchaient tête baissée en maudissant l'instabilité du climat. Bianca se félicitait d'attendre Michel Dion dans un garage souterrain, même si elle déplorait sa manie de préférer la rencontrer au lieu de discuter au téléphone. C'était très contraignant. Était-il paranoïaque? Était-il réellement sur écoute comme il le redoutait? Elle craignait sa colère tout en étant prête à se défendre: qui aurait pu accéder au coffre-fort de Roland Ellis dans les circonstances actuelles?

Elle sortit de sa voiture et replaçait sa courte jupe lorsqu'elle reconnut la Mercedes de Dion. Qui manquait décidément de galanterie: c'est lui qui aurait dû venir la retrouver. Après tout, elle était arrivée à l'heure au rendez-vous, contrairement à lui qui était toujours en retard. Elle le lui ferait remarquer, s'il s'emportait.

Elle se glissa sur le siège avant et agita le trousseau de clés qu'elle avait dérobé à Roland Ellis.

— Ce sont les clés du coffre-fort.

— Mais tu n'as pas les enregistrements.

— Je n'ai pas eu le temps de trouver le coffre. Et maintenant, la maison grouille d'enquêteurs.

— Pas eu le temps ! Ça fait des semaines que je t'ai engagée pour mettre la main sur les bandes. Et là, c'est trop tard ! Tu n'es bonne à rien…

— Arrête de crier ! intima-t-elle. Tu n'as pas à m'insulter.

— Pour qui te prends-tu ? Tu n'es qu'une fille que j'ai…

Il s'arrêta. À quoi bon injurier Bianca ? Il avait misé sur le mauvais cheval, un point c'est tout. Heureusement qu'elle ne lui avait pas coûté trop cher. Mais les enregistrements… Est-ce que la femme de Roland Ellis les avait découverts ? Ou pire, les enquêteurs ? Était-il trop tard pour se sortir de ce pétrin ? Il se força à adopter un ton plus calme pour en apprendre davantage.

— Excuse-moi, je ne devrais pas être aussi grossier. Mais pourquoi y a-t-il une enquête ? Les médias ont mentionné une noyade.

— C'est ce que tout le monde croit. Mais on l'a aidé à couler. Et je sais qui s'en est chargé.

— Quoi ?

— La patronne du restaurant Carte Noire, Louise Desbiens, était près de la piscine quand je suis arrivée chez Roland.

Michel Dion émit un hoquet de surprise. Louise Desbiens ? Elle avait évoqué Roland Ellis à plusieurs reprises, lorsqu'il était allé chez Carte Noire. Que venait-elle faire dans cette histoire ?

— Elle voulait mettre le grappin sur Roland, me détrôner. Mais je ne suis pas du genre à me laisser faire. Je l'ai vue, je lui ai dit de se tenir tranquille, sinon je la balancerais aux flics.

— Tu l'as vue…

— Oui. Et j'ai vu aussi Vincent, le fils de Roland. Je l'ai quasiment séduit. La prochaine fois, je le mets dans ma poche. Et je te jure que je pourrai entrer chez lui et accéder au coffre. Ils sont faciles à soûler, à cet âge-là.

— Mais sa mère doit avoir accès au coffre ?

— Judith n'est pas sa mère et, d'après Vincent, elle n'a pas les clés. Il paraît qu'elle passe son temps à la campagne avec ses chevaux.

Michel Dion fixait le mur de béton devant lui en songeant que la métaphore « aller droit dans le mur » convenait parfaitement à sa réalité. Bianca rêvait en couleurs si elle s'imaginait que, en séduisant le fils, elle aurait accès au coffre-fort du père. Ce serait trop simple et rien n'était simple dans ce cauchemar. Si les enquêteurs s'intéressaient à elle, n'aurait-elle pas envie de leur parler de lui pour s'en sortir ? Elle serait tentée de proposer un marché… et ça, Michel Dion ne pouvait se le permettre. Il fallait pourtant qu'il l'endure jusqu'à ce qu'elle mette la main sur les enregistrements.

— Bon, j'avais tort, admit-il. Tu as fait du beau travail. Maintenant, on attend de voir ce qui se passe. Ils vont bien finir par l'enterrer. À ce moment-là, tu pourras progresser avec le fils. Quel âge a-t-il ?

— Dix-sept ans, beau comme un dieu. Tout le contraire de son père.

— Tant mieux pour toi.

— Je crois que je mériterai un petit supplément quand je t'apporterai les enregistrements. Les conditions sont plus difficiles.

Michel Dion esquissa une moue avant de dire qu'il considérerait cette demande.

* * *

Vendredi, 5 juillet 2013, 17 h 55

Louise venait de se garer devant la résidence des Ellis et attrapait le bouquet de fleurs quand la sonnerie de son cellulaire retentit. La jeune serveuse Joanie la prévenait que des policiers l'attendaient chez Carte Noire.

— D'habitude, vous êtes déjà là, à cette heure-ci.

— J'arrive dans vingt minutes. J'ai eu une urgence avec Melchior.

— Pauvre petit…

— Offre-leur quelque chose à boire, suggéra Louise avant de glisser son téléphone dans la poche de sa veste de lin.

Elle raccrocha sans sourciller. Il était normal que les enquêteurs viennent chez Carte Noire où Roland s'attablait plusieurs soirs par semaine. La perspective d'avoir à répondre à leurs questions l'ennuyait, mais au moins elle savait qu'ils n'étaient pas chez Judith. Elle jeta un coup d'œil au bouquet de fleurs, hésita et décida de le garder pour Melchior qui adorait grignoter les lupins et Freya qui prisait les pétales de rose. Elle marcha vers la porte latérale qui menait à la cuisine, mais n'eut pas besoin de sonner. Judith lui ouvrit, l'air interrogateur. Pourquoi revenait-elle ?

Louise lui révéla que Bianca détenait un cliché d'elle où Roland l'embrassait.

— Elle commence vraiment à m'énerver ! s'impatienta Judith. Les enquêteurs qui étaient là, juste avant toi, m'ont aussi parlé d'elle. Je suis restée évasive, disant que je l'avais peut-être vue à un cocktail. Mais ils prétendent que la breloque en argent qu'ils ont trouvée ici lui appartient. Ils vont l'interroger, c'est sûr.

— Après m'avoir rencontrée. Il paraît qu'ils m'attendent chez Carte Noire.

— Toi ? s'exclama Judith sans se rendre compte qu'elle la tutoyait subitement.

— Ne panique pas. Roland était au resto tous les deux jours, c'était prévisible.

— Je n'aime pas ça.

— Je ne crois pas que Bianca leur ait déjà remis la photo.

— Mais… Qu'est-ce que ça prouverait ? Que tu couchais avec mon mari ? Tu ne serais qu'une parmi tant d'autres…

— On verra. Toi aussi, tu venais souvent au resto, il faut que tu gardes cette habitude, afin qu'on puisse se parler plus facilement. Je n'ai pas de raison de venir ici fréquemment, ça finira par se remarquer… si le processus s'éternise.

— J'en ai marre ! Cette Bianca, quelle peste !

Louise acquiesça avant d'avouer son impuissance.

— On ne peut pas se débarrasser d'elle, ni toi ni moi, déplora-t-elle. Trop de liens nous unissent à Bianca. Trop de coïncidences alerteraient les policiers.

— C'est dommage, fit Judith avec un tel accent de regret que Louise ne put s'empêcher de sourire : cette femme lui ressemblait peut-être plus qu'elle ne l'avait imaginé.

— Oui, j'aurais dû la jeter dans la piscine avec ton mari.

— Roland avait vraiment le don de choisir des emmerdeuses ! conclut Judith. On se voit demain soir ? Tu me gardes la table du coin ?

* * *

Vendredi, 5 juillet 2013, 18 h 30

À dix-huit heures trente, quand Louise poussa la porte de Carte Noire, Joanie s'entretenait avec une enquêtrice tandis que Guido et Max, le pâtissier, discutaient avec un policier. Qu'étaient-ils donc en train de leur raconter? Les déboires amoureux de Mme Ellis probablement. C'était sans conséquences, les enquêteurs savaient déjà que Roland trompait Judith. Que pouvaient-ils apprendre de plus? Quels plats préférait le juge? Louise savait que c'était une question de routine, qu'ils étaient simplement sur la liste des gens à rencontrer pour établir le profil de la victime, mais son cœur battait un peu plus vite lorsqu'elle s'approcha des enquêteurs. Elle se présenta en tendant une main ferme, les regardant droit dans les yeux.

— Que puis-je pour vous?

— Nous dire ce que vous savez sur Roland Ellis. Sur sa femme, sur les collègues avec qui il s'attablait. Comme nous l'avons dit à votre chef et au personnel, chaque détail peut avoir son importance.

Louise acquiesça, elle était à leur disposition. La mort de Roland avait été un choc pour tout le monde. C'était un client extrêmement apprécié, un ami.

— Un ami? Dans quel sens?

— On crée des liens quand on voit les gens si souvent. Et un homme aussi gourmand que Roland Ellis est un rêve pour un chef. N'est-ce pas, Guido? Il était toujours prêt à essayer les nouveaux plats.

— Avec un faible prononcé pour le foie gras, ajouta Guido en souriant.

— Le foie gras? releva Frank Fortunato.

— Oui, c'était son péché mignon, expliqua Louise. Poêlé, au torchon, en brioche, à l'oie ou au canard, il adorait. Sa femme lui disait souvent qu'il imitait les volatiles, qu'il se gavait…

— Ils ont même fait un voyage dans le Périgord, renchérit Guido.

— Vous avez dit que, à l'occasion, les Ellis faisaient appel au service de traiteur de Carte Noire. M. Ellis aurait-il pu commander du foie gras ici et l'emporter chez lui, le soir de sa mort ?

Guido secoua vigoureusement la tête.

— Non, non, on ne l'a pas vu, ce soir-là.

— Il aurait pu venir et repartir sans que vous le voyiez ?

— En tout cas, moi, je ne l'ai pas vu, déclara Joanie.

— Moi non plus, dit Max.

— Personne ne l'a vu ici, affirma Louise.

Elle ne mentait pas. Roland n'était pas venu chez Carte Noire le soir de sa mort. S'en tenir aux demi-vérités, voilà le meilleur credo.

— Quel est exactement votre rôle, ici ? s'enquit Marie-Josée Bélanger. Vous êtes la patronne, c'est ça ?

Louise hocha la tête tout en notant que la policière s'était rapprochée d'elle. Celle-ci posa une main sur son avant-bras, l'entraînant à l'écart.

— J'ai déjà questionné vos employés. Je veux maintenant vous entendre en privé.

— Puis-je vous offrir un verre, un café ?

— Merci, non. Je vous suis…

— Allons dans le petit salon.

Elles traversèrent le restaurant, Louise ouvrit la double porte, laissant Marie-Josée Bélanger choisir leurs places. Elle devait lui donner l'impression que c'était elle qui contrôlait la situation.

— Je ne vous cacherai pas qu'on a entendu toutes sortes de choses sur Roland Ellis. On sait qu'il trompait sa femme.

— C'est possible, j'ai entendu des rumeurs.

— C'est elle qui vous l'a dit?

— C'était facile à deviner, il s'illuminait dès qu'une jolie femme pénétrait dans son périmètre.

— Une sorte de prédateur?

— Non, je n'irais pas jusqu'à dire ça. Ce n'était pas un prédateur, il savait se tenir. Mais il aimait les femmes.

— Vous lui plaisiez aussi?

— Moi comme toutes les autres. Il vous aurait sûrement draguée. Vous auriez eu toutes les chances. Il avait un faible pour les blondes.

— Vous semblez vraiment bien le connaître.

Louise sourit de nouveau, expliqua qu'accueillir aussi régulièrement un client favorisait une certaine intimité.

— Depuis que les Ellis venaient séparément, je recevais plus de confidences. Nous sommes un peu comme les psychologues ou les coiffeurs. Surtout que notre juge aimait bien prendre un verre au bar avant de s'installer à table. Mon rôle est de veiller à ce qu'un client ne soit jamais laissé seul, à lui-même.

— Ils allaient divorcer? dit Bélanger.

— Qui peut le savoir? Ils étaient en réflexion. Après vingt ans de mariage, ce sont des choses qui arrivent.

— Vous êtes mariée?

— Non.

— Un amoureux?

— Non. J'aime la solitude.

Pourquoi l'enquêtrice lui posait-elle ces questions personnelles?

— Roland Ellis vous draguait donc…

— Il s'amusait, rien de sérieux, répondit Louise sur le ton de la légèreté. Nous avons une passion commune pour le vin, le Champagne. Les Ellis sont d'ailleurs allés à Beaune pour faire la route de la Bourgogne et Roland Ellis avait manifesté le désir de m'accompagner à Reims pour mes prochains achats.

— À Reims ? En France ? Vous seriez partis tous les deux ?

— Je n'étais pas enchantée, avoua Louise, car il pouvait parfois être insistant. Mais je suis une grande fille et, là-bas, de toute manière, il aurait rencontré de nouveaux visages, des femmes plus jeunes que moi. Je ne suis pas là pour batifoler.

— Bien, bien, bien, dit Marie-Josée en refermant son carnet. Vous n'avez rien de plus à ajouter ? Un détail qui vous viendrait à l'esprit...

— Un détail ? À quel sujet ?

— N'importe quoi. On essaie vraiment de faire le tour complet du sujet, de mieux connaître la victime.

Marie-Josée se leva et gagna la salle à manger. Elle rejoignait son collègue, qui n'avait pu refuser de goûter à la tarte renversée aux figues et sa glace à la verveine, lorsqu'elle se tourna brusquement vers Louise.

— C'est étonnant. Vous êtes la seule à ne pas m'avoir demandé ce qui est arrivé à Roland Ellis.

Louise se fustigea d'avoir sous-estimé l'enquêtrice, mais trouva immédiatement une réponse.

— Des années au service du public m'ont appris qu'il est inutile de poser des questions. Les gens me racontent tout sans que je dise quoi que ce soit. Mais là, bien sûr, comme vous êtes enquêtrice, les rôles sont inversés... Je ne veux pas vous faire perdre du temps. Je suis persuadée que Guido vous a demandé ce qui était arrivé à Roland. Il l'appréciait beaucoup.

— J'ai pourtant eu l'impression qu'il prenait parti pour sa femme.

— C'est un romantique...

— Pas vous ? Vous n'avez pas pris le parti de Judith ?

— Ni le sien ni celui de Roland. Je suis un genre de Suisse. Neutre. Et j'espérais qu'ils traversent cette crise. Comme c'est arrivé à tant d'autres de nos clients.

— Vous êtes une sage, dit Marie-Josée Bélanger. Je vous libère. Vous devez avoir beaucoup à faire pour gérer un tel établissement. Tous ces prix que Carte Noire a remportés, c'est impressionnant.

Louise raccompagna les enquêteurs jusqu'à la porte avant de se servir un thé glacé au gingembre. Le goût piquant de la racine broyée parvint lentement à la calmer. Quand tout cela finirait-il ?

* * *

ÉPISODE 14

Samedi, 6 juillet 2013, 20 h

Judith et Vincent s'étaient assis à la table 9 où ils dégustaient des bouchées de thon mi-cuit à l'espuma de citronnelle. Louise était venue les accueillir à l'entrée et avait noté les murmures, dans la salle, alors que plusieurs habitués reconnaissaient Judith. Elle les guida à leur table où, après que Max leur eut servi un verre de viognier, quelques personnes vinrent leur présenter leurs condoléances, créant ainsi une ambiance plutôt étrange. L'arrivée de leurs plats respectifs ramena les clients à leur table, mais Louise avait pu observer l'attitude de Vincent et ne parvenait pas déterminer s'il était fier de son père ou agacé par ces témoignages.

Elle poussa les portes battantes de la cuisine, faillit écraser les doigts de Mélissa qui ramassait les pommes de terre qu'elle avait échappées sur le sol.

— Oh ! Ça va ?

— Je… je ne savais pas que Vincent Ellis était là. Je viens de le voir par le hublot de la porte.

— Tu le connais ?

— On va au même collège.

— Veux-tu lui dire un mot à propos de son père ? Tu peux quitter la cuisine quelques minutes.

— Non, j'aime mieux rester ici, fit Mélissa avec un mouvement de recul.

— Tu n'as pas l'air de tellement l'apprécier.

— Vincent est prétentieux. Je devrais être plus charitable, il vient de perdre son père. Mais chaque fois qu'il en parlait, c'était pour le traiter de trou du cul. Pardon…

Louise esquissa un geste pour l'excuser.

— Peut-être qu'il l'aimait quand même.

— Il vole des trucs.

— Des trucs ?

— Le téléphone de Viviane pendant toute une journée. Il a regardé ce qu'il y avait dedans ! C'est privé ! Il l'a remis dans sa case avec un petit sourire à la fin des cours. Ensuite, il a fait des sous-entendus sur Facebook. Il a pris le carnet d'adresses de Carla, le foulard de Stéphanie et la clé du cadenas de Stanislas.

— Comment sais-tu tout cela ? Tu le surveilles ?

Mélissa rougit avant d'admettre que, effectivement, elle épiait Vincent. Parce qu'elle n'avait pas envie d'être sa victime.

— Il a piqué dans des magasins, il a même été arrêté. Il racontait ça en riant le lendemain avec sa gang. Sa petite cour ! Parce que son père a de l'argent, il s'imagine que tout est permis. En plus, il se croit beau comme un dieu !

— Mais il l'est !

— Oui, concéda Mélissa, mais son arrogance durcit ses traits. Il me rappelle les scarabées.

— Je vais peut-être te demander, quand ils seront rendus au dessert, d'aller parler avec lui. Je veux discuter avec Judith. On doit décider de ce que nous servirons au lunch qui suivra les funérailles. Ce serait mieux si Vincent était occupé pendant ce temps.

Mélissa haussa les épaules : si ça pouvait rendre service à Louise…

— Merci, je l'apprécie. On t'apprécie d'ailleurs tous, ici. Et j'aime bien les insectes.

— C'est vrai ? Vous avez une préférence ?

— Les arachnides, même si ce ne sont pas vraiment des insectes, avec leurs huit pattes.

— Je suis contente de ne pas être la seule à les aimer ! s'enthousiasma Mélissa. À l'école, tout le monde me trouve bizarre…

— Et après ?

— Je n'ai pas vraiment d'amis.

Louise retint un soupir d'exaspération : elle n'avait pas le goût de recevoir des confidences.

— Je ne me suis jamais souciée de ce que les autres pensaient, fit-elle pour couper court. Et ça ne m'a pas trop mal réussi. Tu n'es pas impressionnée par Vincent et sa cour, non ?

— Non, mais…

— Les insectes sont bien plus intéressants, crois-moi.

La cloche en cuisine tinta et Louise s'approcha du comptoir où deux serveurs saisissaient les plats, les escargots à la sauge en cassolette et les pinces de homard en crumble vanillé.

— Je les prends, dit Louise. Ce sont les entrées des Ellis.

En faisant elle-même le service à cette table, en apportant les plats, en remplissant les verres, Louise, aux yeux des clients, témoignait d'une attention particulière envers les endeuillés. Ils s'imaginaient qu'elle agirait de même s'ils vivaient une telle perte, mais il s'agissait moins de paroles de réconfort que de partager des informations avec Judith chaque fois que Vincent sortait du restaurant pour parler au téléphone. Ce qui arriva à quatre reprises.

À la fin du repas, Louise chargea Mélissa d'apporter son dessert à Vincent, tandis qu'elle s'occuperait de celui de Judith. Ensuite, elle devait lui faire quitter la table.

— Je vais lui demander de me montrer son auto, proposa Mélissa. Il en a assez parlé au collège!

— Fais ce que tu veux afin que j'aie dix minutes avec Judith. Ça m'évitera de retourner chez eux.

Vincent parut surpris en reconnaissant Mélissa et encore davantage quand elle voulut voir sa voiture. Il aurait sans doute refusé, mais Mélissa lui donnait l'occasion de quitter enfin la table.

— OK. Viens.

— Ne m'attends pas, fit Judith. Je rentrerai en taxi.

— Je vais rejoindre Michaël, mentit Vincent qui avait communiqué avec Bianca.

— C'est parfait, ça te changera les idées, dit Judith.

Elle se tourna vers Louise qui déposait deux cafés sur la table. Précédant Vincent, Mélissa avança vers la sortie. C'est alors que, dans le reflet de la vitrine, elle le vit faire un geste qui lui déplut infiniment: il volait la timbale en cuir dans laquelle les clients déposaient les pourboires destinés à l'employée du vestiaire. Elle fut tentée d'interpeller Vincent devant les clients, mais préféra attendre d'être dehors, seule avec lui.

Dès qu'ils furent sortis, il s'alluma une cigarette avant de désigner sa voiture.

— Tu fumes?

— Ça te dérange?

— Au contraire, tu risques de mourir plus vite.

Vincent eut un hoquet de surprise. Qu'est-ce qui lui prenait?

— Il me prend que je t'ai vu piquer la timbale. Rends-la-moi immédiatement.

— Je ne sais pas de quoi tu parles. Tu es toujours aussi *fuckée,* Mélissa Fortier. Je comprends pourquoi personne ne veut de toi. Tu cherches un chum, c'est ça ? Tu peux être certaine que tu n'as aucune chance avec moi. Penses-tu que je ne sais pas que tu passes ton temps à me guetter ? Je suis sûr que tu as des photos de moi dans ton téléphone.

— Non, mentit Mélissa.

— T'es rouge comme une tomate. Ça ne me dérange pas, tu peux me regarder autant que tu veux, mais ne rêve pas en couleurs. Un gars comme moi ne trippe pas sur une fille qui parle aux bibittes. Tu dois en avoir un sacré paquet dans la tête... Maintenant, dégage ! J'ai assez perdu de temps.

Tandis que Mélissa le foudroyait du regard, Vincent s'éloigna vers sa voiture, s'arrêta lorsque son téléphone sonna et prit l'appel. Un changement subit dans son attitude intrigua Mélissa qui ne l'avait pas quitté des yeux. Il avait eu un sourire particulier, un sourire de vainqueur avant de se retourner pour la toiser. Pourquoi était-il si content de lui ? À qui parlait-il ?

Mélissa courut jusqu'à l'arrière du restaurant où elle avait garé sa mobylette, tendit l'oreille et enfourcha son engin dès qu'elle entendit claquer la portière de la voiture de Vincent. Il lui avait dit : « Dégage ! » Pour qui se prenait-il ? Elle allait le rattraper, le forcer à lui rendre la timbale volée ! « J'ai assez perdu de temps », avait-il dit. Ah oui ? Qu'avait-il tant à faire ? Aller retrouver son inséparable Michaël ?

Vincent emprunta l'avenue du Parc, qui heureusement était achalandée, permettant à Mélissa de le suivre à une vitesse modérée. Ils gagnèrent la rue Sherbrooke et filèrent jusqu'à la rue Guy, tournèrent à droite, montèrent vers l'avenue du Docteur-Penfield. Vincent ralentit soudainement, Mélissa fit de même en se demandant s'il allait s'arrêter. Elle coupa le moteur de la mobylette. Elle se contenterait de pédaler. La verrait-il ou était-il trop concentré sur sa petite personne? Il était déjà difficile de suivre quelqu'un dans les grandes artères, mais dans une avenue plus tranquille, c'était quasiment impossible.

Elle cessa de pédaler dès qu'elle le vit s'immobiliser en face d'un immeuble, sans toutefois éteindre le moteur. Il sortit de la voiture et leva la tête vers les balcons comme si quelqu'un le hélait. Mélissa distingua une femme aux cheveux blonds qui se penchait de son balcon du dernier étage en adressant un signe de la main à Vincent. Qui était cette femme?

Vincent s'appuyait contre sa voiture en se lissant les cheveux. Il se redressa lorsque la grande blonde le rejoignit. Elle se pencha vers lui en posant sur son épaule une main où brillait une énorme pierre, effleura sa joue d'un baiser. Vincent parut surpris mais l'enlaça aussitôt, avant qu'elle s'écarte et prenne place dans la voiture. Il démarra en trombe.

Mélissa jura en échappant ses clés dans l'énervement. Inutile de faire redémarrer sa mobylette, elle ne rattraperait pas cette voiture. Qui était cette femme qui avait bien quinze ans de plus que Vincent? Qui était habillée comme s'ils allaient à une soirée? Était-ce le cas? Vincent s'amuserait alors que son père venait de mourir?

Mélissa hésita, puis débloqua le pied de la mobylette et se rendit jusqu'à l'immeuble. Elle savait que la blonde habitait au dernier étage. Elle vérifia la liste des locataires: il n'y en avait que deux par palier, heureusement. Au huitième étage, les noms d'Edward Collins et Bianca Esposito. Bianca Esposito! C'était bien elle! Ça sonnait comme dans un film à petit budget.

Elle remonta sur sa mobylette et reprit le chemin du restaurant, soudainement soucieuse. Ça ne plairait pas à Louise de savoir que Vincent avait piqué la timbale et qu'elle n'avait pas réussi à la récupérer. Mais, au moins, Louise connaissait Judith. Elles s'arrangeraient pour que Vincent rende cet objet auquel tenait tant Guido : il avait appartenu à son grand-père, en Italie. Lui parlerait-elle de Bianca ? Elle ne voulait pas avoir l'air jalouse. Vincent Ellis ne l'intéressait pas, mais Louise avait dit qu'il était beau. Elle croirait sûrement qu'il lui plaisait et en tirerait des conclusions.

Ce prénom de Bianca la turlupinait. Il lui était vaguement familier. Au moment où elle franchissait le seuil de la porte arrière de Carte Noire, elle sut où elle l'avait entendu. Chez elle. Quelque temps avant la mort du juge. Sa mère discutait avec Victor sur la terrasse, ignorant qu'elle les écoutait par la fenêtre de sa chambre. Dorothée racontait les malheurs de Judith Ellis, trompée par son mari.

— Tu te rends compte, Victor ! Il la trompe avec une fille qui s'appelle Bianca. Comme dans les *101 dalmatiens*.

— Ce n'était pas plutôt Perdita ?

— En tout cas, c'est ridicule !

— Vous êtes devenues très copines, Judith et toi.

— Je n'irais pas jusqu'à dire ça, l'avait corrigé Dorothée, mais j'aime bien Judith. Je la plains, ce n'est pas facile de vivre une séparation. Elle s'est installée au chalet et, là, elle mesure le poids de la solitude… Nous nous sommes revues chez Carte Noire quand je suis allée chercher Mélissa, la semaine dernière. Je l'ai attendue quasiment trente minutes et j'ai bavardé avec Judith.

— Il me semble que Mélissa pourrait rentrer en autobus. On avait dit qu'on irait la chercher seulement les soirs où elle finit trop tard.

— Oui, mais on va acheter sa mobylette demain. Elle commence à travailler, elle me remboursera au rythme qui lui convient.

— Bonne idée !

Eh oui, c'était une bonne chose, se disait Mélissa en garant sa mobylette derrière le restaurant. Elle n'aurait jamais pu suivre Vincent Ellis chez cette Bianca, sans sa mobylette. En attrapant son tablier, elle aperçut Louise de l'autre côté du chariot des fromages qui lui adressait un signe.

— Qu'est-ce que tu fabriquais ? Je pensais que tu étais sortie pour quelques minutes avec Vincent, le temps que je m'entretienne avec Judith.

— Je l'ai suivi. Pour lui demander de me remettre la timbale qu'il a volée. La timbale en cuir du grand-père de Guido !

— Il l'a volée ? s'étonna Louise.

— Oui. Je vous ai dit qu'il fait ça tout le temps. Je n'ai pas réussi à la ravoir. Vous en parlerez à Mme Ellis ?

— On verra, dit Louise. Ce n'est pas le moment de l'embêter avec ce détail, mais c'est gentil d'avoir voulu récupérer notre bien.

— Je déteste ce type, cracha Mélissa avec une telle hargne que Louise, qui l'avait vue rougir plus tôt en présence de Vincent, n'eut plus aucun doute : ce garçon lui plaisait.

* * *

Samedi, 6 juillet 2013, 22 h

Louise avait raison de plaindre Mélissa qui rentrait chez elle en ruminant toujours sa colère contre Vincent Ellis. Le revoyait avec cette femme à l'incroyable chevelure blonde, aux bijoux si extravagants. Et elle repensait à Louise qui agirait probablement comme tout le monde avec Vincent, qui le ménagerait. Parce qu'il était le fils de ses clients. Qui étaient riches et fréquentaient le restaurant. Le juge ne viendrait plus, mais Louise voudrait garder la clientèle de Judith qui se pointait parfois avec des amies. Vincent pouvait faire toutes les conneries qu'il voulait, il n'était jamais puni. Mélissa en avait marre!

Elle fit claquer la porte quand elle entra dans la maison et Dorothée s'en inquiéta.

— Qu'est-ce qui se passe? Tu as l'air bouleversée. Un problème au resto?

— Louise n'est pas mieux que les autres.

— Que veux-tu dire? fit Dorothée.

— Elle protège Vincent Ellis. Parce qu'il est riche. Il a volé une timbale au restaurant et elle fait comme si ce n'était pas grave. Il sort avec une femme deux fois plus vieille que lui, mais tout le monde s'en fout.

Dorothée agita les mains doucement pour forcer Mélissa à se calmer.

— Recommence depuis le début, ma chérie.

Mélissa soupira et raconta l'épisode pénible de sa soirée.

— Tu dis qu'elle est blonde? Qu'elle s'appelle Bianca? Tu en es certaine?

— Oui! J'ai regardé dans l'immeuble la liste des locataires. Elle habite au dernier étage. Bianca Esposito. Elle a embrassé Vincent!

— Embrassé?

— Elle s'est collée contre lui avant de monter dans sa voiture.

— Je prends les choses en main, affirma Dorothée sans savoir ce qu'elle ferait de cette nouvelle.

Après la trahison de Louise, le détournement de mineur du fils par l'ancienne maîtresse! Pauvre Judith! N'avait-elle pas assez d'ennuis ? C'était dégoûtant. Mais elle devrait en informer Judith Ellis. Un coup de pied du bébé dans son ventre lui donna l'impression qu'il lui répondait.

— Ça ne se passera pas comme ça ! Je te le jure ! Je vais tout dire à Judith.

Mais auparavant, elle en discuterait avec Marie-Josée Bélanger.

Si Mélissa disait vrai, si Vincent ne subissait pas les conséquences de ses bêtises, il n'apprendrait jamais à se corriger. Judith elle-même reconnaissait que Roland avait été trop laxiste avec son fils. Dorothée caressa son ventre et promit à l'enfant qu'elle portait qu'elle le punirait quand ce serait nécessaire. Parce qu'elle l'aimait déjà.

Elle rendrait un dernier service à la famille Ellis avant de partir en congé de maternité. Elle consulta sa montre, il était trop tard pour appeler qui que ce soit, mais dès le lendemain matin elle composerait le numéro du portable de la détective Bélanger. Elle lui expliquerait la situation.

* * *

Dimanche, 7 juillet 2013, 11 h

— Tu as vraiment bien fait de m'appeler, Dorothée, dit Marie-Josée Bélanger avec chaleur. Je t'en dois toute une ! Tu es la meilleure !

En raccrochant, Dorothée Fortier posa sa main sur son ventre.

— Tu as entendu ça ? Ta maman est la meilleure. J'ai bien fait de déranger Marie-Josée, même si c'est la fin de semaine.

De son côté, Marie-Josée Bélanger poussa un cri de victoire qui fit sursauter son chien. Elle appela immédiatement son partenaire.

— Qu'est-ce qui se passe ? dit Frank Fortunato.

— Bianca Esposito, ou plutôt Bianca Bédard, est avec le fils Ellis.

— Est avec ?

— Une fille les a vus s'embrasser, monter dans la voiture de Vincent. J'ai hâte de parler à cette Bianca !

* * *

Dimanche, 7 juillet 2013, 13 h 30

Dans une des salles d'interrogatoire du poste de la SPVM, Frank Fortunato se sentit rougir lorsqu'il regarda avec un peu trop d'insistance les jambes parfaitement galbées de Bianca Esposito. Il se força à fixer sa tasse à café, espérant que son malaise avait échappé à la principale intéressée. Et à Marie-Josée Bélanger. Depuis le début de leur entretien, une heure plus tôt, il avait réussi à éviter de contempler la suspecte, mais voilà qu'il avait eu un moment d'inattention. Il jeta un coup d'œil à Bélanger, fut rassuré. Elle tenait le iPhone de Bianca avec l'expression d'une chatte mettant la patte sur la queue d'une souris.

— Ainsi, l'associée du resto Carte Noire aurait été la maîtresse de Roland Ellis.

— Pourquoi ne pas nous en avoir parlé avant ? s'enquit Fortunato.

— J'étais trop humiliée d'avoir été jetée au profit d'une vieille de cinquante ans. Je n'ai jamais été aussi insultée de ma vie !

Marie-Josée Bélanger tiqua : si elle était si furieuse, pourquoi n'avait-elle pas dénoncé Louise ?

Bianca haussa les épaules : elle avait été stupide, mais elle n'avait pu s'y résigner.

— Je peux repartir, maintenant ?

— Pour le fils Ellis…

— C'est lui qui m'a approchée, je vous le répète. Il voulait me connaître parce qu'il m'avait vue avec son père. Il est déboussolé. J'ai accepté de prendre un café avec lui. C'est tout. Je ne l'ai jamais embrassé. Un gamin de dix-sept ans… Moi, j'aime les vrais hommes.

Bélanger aurait parié que Bianca Esposito lancerait un regard éloquent à son partenaire, mais elle s'en garda. Et c'est précisément cette retenue qui intrigua l'enquêtrice. Elle ne collait pas à la personnalité de la flamboyante créature qui faisait tinter ses bracelets comme doit le faire un serpent à sonnettes pour distraire ses proies. Elle lui signifia qu'elle ne devait pas quitter la ville dans les prochains jours.

— On vous raccompagne, Mme Bédard.

— Esposito, la corrigea Bianca.

Dès qu'elle disparut de leur champ de vision, Fortunato se tourna vers Bélanger.

— On retourne chez Carte Noire.

— Oui, monsieur ! Et on trouvera bien un prétexte pour aller cuisiner de nouveau cette Bianca qui ne nous a sûrement pas tout dit…

* * *

Dimanche, 7 juillet 2013, 14 h 20

Louise n'était pas chez Carte Noire quand les enquêteurs se présentèrent. Selon Joanie, elle était chez un client qui souhaitait donner une grande réception.

— Les gens requièrent souvent ses services le dimanche ?

— Non, répondit-elle, mais dans la restauration on travaille tout le temps.

— Elle vous a dit de qui il s'agissait ? Le chef n'est pas au courant ?

— Il n'est pas là, aujourd'hui, fit Joanie. C'est le sous-chef qui le remplace. De toute manière, c'est Louise qui gère tout. C'est l'idée : ne pas ennuyer Guido avec l'organisation afin qu'il puisse se concentrer sur ses créations. Appelez-la sur son portable. Vous avez le numéro ?

— Oui, merci.

Bélanger laissa un message, exigeant que Louise la rappelle le plus rapidement possible. Elle échangea un regard avec son partenaire. En attendant, ils iraient chez la veuve afin de lui révéler que son mari avait deux maîtresses en même temps.

— Je ne sais pas si ça vaut la peine de se déplacer, marmonna Frank Fortunato. Elle avait l'air de s'en foutre quand on lui a parlé de Bianca, la dernière fois. J'ai l'impression qu'elle avait admis depuis un bout de temps que son mari la trompait avec tout ce qui bouge.

— Mais elle a fini par en avoir marre, continua Marie-Josée Bélanger. Il a été question de divorce.

— On n'a pas vu de papiers à cet effet.

— Parce qu'on n'a pas encore eu le droit de défoncer le coffre-fort. Je me demande bien où sont les maudites clés !

— Pas dans les pantalons du mort, en tout cas. Je reviens à Louise Desbiens. Même si c'est vrai qu'elle était la maîtresse du juge, elle n'avait aucun intérêt à le voir disparaître.

— À moins qu'il lui ait dit qu'il l'avait couchée sur son testament. Ça me paraît un peu gros. Un juge ne ferait pas ça. Mais cette Bianca, qu'il a laissé tomber, a pu le tuer sur le coup de la colère.

— Oui, on a trouvé sa breloque sur les lieux. On sait que Roland Ellis payait son condo. Elle a vu qu'elle perdait tout...

Marie-Josée Bélanger soupira. Des hypothèses, mais aucune preuve. Si seulement il y avait eu des traces de lutte sur le corps de la victime, ils auraient été sûrs d'avoir raison de soupçonner un acte criminel. Ils n'avaient que leur intuition qui leur dictait que la disparition d'un homme aussi riche que le juge Ellis valait la peine qu'on poursuive des investigations.

— On a besoin d'un mandat! Ça nous prend d'autres éléments pour l'obtenir. Je pensais que ce serait plus facile puisque Roland Ellis était juge. Entre eux, ils devraient s'entraider.

— Peut-être qu'on tirera quelque chose de la veuve...

* * *

ÉPISODE 15

Dimanche, 7 juillet 2013, 14 h 30

Louise avait déposé les cinq menus du service de traiteur proposés par Carte Noire sur une élégante table en acajou et palissandre.

— Pour vous donner des idées, M. Dion. Prenez tout le temps qu'il vous faut pour les lire.

Tandis qu'il consultait les cartes élaborées, Louise détaillait l'environnement comme si elle croyait vraiment que Michel Dion avait accepté de la rencontrer à la galerie pour parler du vernissage de l'automne. Elle ne croyait pas aux coïncidences. La journée s'annonçait riche en surprises. Elle l'avait compris dès que Mélissa lui avait demandé si elle avait prévenu Judith Ellis que Vincent avait volé la timbale.

— Je lui en parlerai en temps et lieu.

— Pas nécessaire, avait marmonné Mélissa, je l'ai dit à maman. Elle est travailleuse sociale, après tout. Elle pourra aussi apprendre à Mme Ellis que son cher beau-fils sort avec une femme qui a deux fois son âge.

— Qu'est-ce que tu racontes?

— Je l'ai vu avec une belle grande blonde couverte de bijoux.

Le flegme habituel de Louise s'était fissuré: il ne pouvait y avoir qu'une créature aux cheveux blonds pour s'intéresser à Vincent Ellis: Bianca Esposito!

Elle s'était empressée de téléphoner à Judith pour l'avertir que les enquêteurs avaient probablement, à cette heure, interrogé Bianca et qu'ils voudraient sûrement leur reparler à toutes les deux.

— Cette photo de toi et Roland ne prouve strictement rien, avait répété Judith. Écoute, j'ai repensé à ce que tu m'as dit hier soir au resto, cette histoire de documents dont Roland t'a parlé avant de mourir. Je pense qu'il y a une chance pour que je déniche un double des clés du coffre-fort au chalet. J'y vais tout de suite. Je devrais être de retour pour souper.

— D'accord, pendant ce temps, je suis notre plan et je m'occupe de Michel Dion.

Louise s'approchait maintenant d'une grande toile représentant un cheval de Troie. Elle songea à Orion et Mélusine, à Judith qui ne voulait pas renoncer à eux. Comme elle ne voulait pas que Melchior et Freya soient forcés de quitter leur maison. Qu'est-ce qu'on ne ferait pas pour des bêtes qu'on aime ?

— Les Ellis appréciaient beaucoup le menu Orient-Express, dit Louise alors que Michel Dion reposait les grandes cartes sur la table.

— Les Ellis ?

— Qu'avez-vous pensé de la mort du juge ?

— Pourquoi me parlez-vous de lui ? dit lentement Dion.

— Parce qu'il s'intéressait à vous. À cette galerie, à l'achat de la prochaine, au blanchiment d'argent, à des enregistrements.

— Je ne comprends rien à ce que vous racontez.

Louise ouvrit sa veste, elle portait une robe moulante.

— Vous pouvez vérifier si j'ai un micro. Et fouiller mon sac à main. Prenez les mesures nécessaires.

Le ton détaché de Louise acheva de déstabiliser Michel Dion. Il savait qu'ils ne discuteraient pas de bouchées apéritives ni de carpaccio de loup quand Louise l'avait appelé, mais il ne s'attendait pas à cette conversation si directe. Il s'approcha néanmoins de Louise qu'il palpa rapidement. Il ouvrit ensuite son sac, le vida sur la table de verre, froissa la doublure intérieure.

— Que faites-vous ici ? dit-il en la regardant remettre le rouge à lèvres, ses clés, un mouchoir, un miroir, des crayons, du mascara dans son sac.

— Voulez-vous vérifier si mon iPhone est en mode enregistrement ? J'aimerais aussi voir le vôtre.

Michel Dion saisit l'appareil tout en extirpant le sien de la poche de son pantalon.

— Je peux vous rendre service, avança Louise. Récupérer les enregistrements.

— Des enregistrements, fit-il d'une voix qui tremblait légèrement. De quel genre ?

— Je l'ignore et ça ne m'intéresse pas. C'est vous que ça regarde. Roland m'avait confié qu'il conservait ces enregistrements pour vous piéger. Que cela ne devait plus tarder.

— Quoi ?

— Il a laissé entendre que vous n'auriez pas de quoi payer la réception, cet automne. Je suppose qu'il s'apprêtait à vous dénoncer pour blanchiment d'argent.

Michel Dion faillit tomber de sa chaise, se rattrapa à la table avant d'envoyer valser les menus. Il poussa un long soupir, se leva pour rejoindre Louise qui se tenait de nouveau devant le cheval de Troie. Elle aimait vraiment cette toile. L'artiste avait-il peint aussi des chats ?

Michel Dion fixa Louise durant un long moment, cherchant à comprendre comment les enregistrements pouvaient être à sa portée, alors que Bianca affirmait qu'elle avait pris les clés du coffre dans la poche du mort.

— Êtes-vous certaine de ce que vous avancez ?

— Bianca, que vous connaissez peut-être, a dû prendre les clés après mon départ, mais elle n'a pas accès aussi facilement que moi à la résidence des Ellis. Elle a bien essayé de se rapprocher du fils, mais les policiers l'ont interrogée et elle devra modérer ses ardeurs pour les jours à venir. Je suppose qu'elle espérait découvrir des secrets ou s'emparer du contenu du coffre-fort, mais là…

— Vous dites qu'elle a vu des enquêteurs ?

— Effectivement. Cela vous embête ?

Michel Dion se tut, mais la crispation de ses mains sur le bord de la table de verre trahissait sa colère. Louise s'abstint de tout commentaire, Michel Dion devait assimiler les informations qu'elle venait de lui communiquer. Elle le sentait très fébrile à ses côtés. Elle admirait une sculpture de marbre lorsqu'elle sentit vibrer son iPhone.

— Vous permettez ?

Police ici. Le texto provenait du portable de Judith. Bélanger et Fortunato s'étaient empressés de lui parler d'elle. Elle eut à son tour un soupir d'exaspération.

— Des ennuis ? s'enquit Dion.

— Je n'aime pas que les choses traînent.

— Bien. Dans ce cas, que voulez-vous ?

— Un échange de services. Bianca est gênante pour nous tous.

Le culot de cette femme surprenait Michel Dion tout autant que ses révélations. Lui demandait-elle réellement de la débarrasser de Bianca Esposito ? Alors qu'il y pensait de son côté depuis quelques jours ?

— Où l'avez-vous rencontrée?

— C'est récent. Je l'ai croisée au Ritz, un soir où j'étais avec Roland. Puis le jour de sa mort. Elle est arrivée sur les lieux au moment où je partais. J'ignore si elle a tout raconté aux policiers, mais elle finira par être tentée de les convaincre que j'ai un rôle à jouer dans ce décès prématuré.

— Décès qui m'a surpris et qui semble assez mystérieux…

— Oui, en effet. Et il doit le rester.

— Mais si Bianca révèle que vous étiez sur place…

— Elle devra aussi leur expliquer pourquoi elle se trouvait là…

— Cela vous inquiète ?

Louise esquissa une moue ennuyée.

— J'ai été interrogée, il y a quelques semaines, au sujet de la mort brutale de mon ancien propriétaire. C'était un accident, mais bon, les policiers pourraient croire que je me complais dans la violence. Et ce n'est pas bon pour le standing de Carte Noire d'avoir des policiers qui débarquent sans crier gare. Ce que je veux dans la vie, c'est avoir la paix. Bianca parle trop. Si Roland s'est confié à elle comme il l'a fait avec moi, elle est au courant pour les enregistrements qui vous concernent. Qui dit qu'elle ne sera pas portée à en discuter avec les policiers quand ils l'interrogeront de nouveau ? Car ils le feront, c'est garanti… Elle me livrera, elle vous livrera, ainsi que toute autre personne susceptible d'avoir eu un intérêt à la mort de Roland. Elle ne se laissera pas étouffer par les scrupules.

Michel Dion hocha la tête avant de déclarer qu'il devait prendre un moment de réflexion.

— Vous avez très peu de temps, l'avertit Louise. Les policiers vont finir par obtenir un mandat pour ouvrir le coffre. Ils ont harcelé sa veuve à propos des clés.

— Et…

— Elle leur a juré qu'elle ne les avait pas. Mais j'ai appris qu'il y a un double des clés. Et que je pourrais accéder au coffre dès ce soir.

— Vraiment ? fit Dion.

Il était maintenant persuadé que Louise avait pris les clés du juge le soir de sa mort. Et que Bianca lui avait menti pour gagner du temps. Ou qu'elle avait pris les mauvaises clés. Elle ne lui était plus utile, de toute manière.

— Ce soir ? répéta-t-il.

Louise adressa un sourire de connivence à Michel Dion qui le lui rendit. Il se dégageait de cette femme une assurance qui lui semblait garante de meilleurs résultats que ceux que lui avait promis Bianca Esposito depuis plusieurs semaines. Et s'il est vrai qu'elle devait être interrogée à nouveau par les policiers, elle représentait dorénavant une menace pour lui. Ce qui déplairait à Colin McMurphy. Et à ses patrons. À leurs patrons.

— Que savent les policiers de votre lien avec Roland Ellis ?

— À cette heure-ci, Bianca doit leur avoir montré une photo de moi avec le juge. J'espère qu'elle ne leur a pas encore dit que j'étais près de lui quand il est mort. Je table sur le fait qu'elle lâchera cette information qui l'incrimine seulement si elle n'a plus rien à perdre. Et ce sera alors sa parole contre la mienne.

Elle attrapa son sac à main, lui tendit le téléphone jetable qu'elle avait payé comptant.

— Je vous appelle dès que j'ai les enregistrements. En soirée. Voulez-vous venir les chercher chez Carte Noire ? Ça n'étonnera pas les employés de vous y voir.

— Et si les policiers vous interrogent d'ici là ? S'ils vous empêchent d'avoir accès à ces enregistrements ?

— S'ils m'interrogent, c'est que Bianca les aura renseignés sur ma présence près de la piscine. Ce serait navrant… Vous devez neutraliser cette femme avant qu'elle fasse encore plus de dégâts. Tout pourrait rentrer dans l'ordre dès aujourd'hui si vous faites un effort.

— Qu'est-ce qui me garantit que vous pourrez aller et venir comme bon vous semble chez le juge ? Qu'en dira son épouse ?

— Elle m'aime beaucoup. Vraiment beaucoup. Elle est toujours heureuse de me voir chez eux. C'est très facile de prendre l'apéro avec elle et de mettre un somnifère dans son verre.

— Et pour les enregistrements ? Comment m'assurer que vous me les remettrez ? Vous pourriez être tentée de…

— Si vous êtes capable de régler le problème que représente Bianca, je suppose que vous n'éprouveriez aucun remord à punir quelqu'un qui manquerait à sa parole envers vous.

Elle ne semblait même pas émue en évoquant d'éventuelles représailles si elle le trahissait. Elle s'exprimait avec le ton qu'elle employait pour décrire les options du service de traiteur de Carte Noire. Comment pouvait-elle être aussi sûre d'elle ? Elle avait le regard impénétrable de Johnny Powers, un type qui travaillait pour McMurphy. Le type qui s'occuperait vraisemblablement de Bianca.

— Il ne faut pas traîner, insista Louise. Bianca sera interrogée à nouveau, M. Dion. Les enquêteurs croient qu'elle était sur place, ils ont trouvé un de ses bijoux.

— Rien ne prouve qu'elle l'a égaré le soir de la noyade.

— Vous connaissez les flics, ça leur prend un coupable. Le problème, c'est qu'ils manquent de preuve pour l'instant. S'ils découvraient de la morphine chez Bianca après sa disparition, peut-être que ça les contenterait. Il y avait de la morphine dans le sang de Roland, au moment de son décès. Ce sont de jeunes détectives, ils veulent montrer leurs compétences. Mais je n'ai pas le goût d'être leur cobaye.

— Moi non plus, convint Michel Dion. J'irai demain matin chez Carte Noire.

— J'y serai à 7 h. Personne n'arrive avant 8 h.

Louise s'apprêtait à sortir, lorsqu'elle se retourna pour désigner la toile qu'elle avait admirée.

— J'aime vraiment cet artiste. Y a-t-il un catalogue de l'exposition ?

Michel Dion regarda Louise s'éloigner pour héler un taxi en se demandant d'où venait cette extraterrestre. Qui elle était. Il aurait dû faire effectuer une recherche sur Louise Desbiens dès que Bianca lui avait dit qu'elle était la maîtresse de Roland Ellis. Peu importe, leur marché lui convenait malgré les délais très courts dont il disposait pour tout organiser.

Dans un premier temps, il contacterait Johnny Powers. Sans passer par McMurphy. Inutile de l'embêter avec cette histoire qui pourrait l'agacer. Ensuite, il demanderait à Bianca de le rejoindre au stationnement où ils s'étaient vus récemment. Bien évidemment, ce ne serait pas lui qui accueillerait Bianca dans sa voiture.

Il joua avec sa montre, fixa les aiguilles. Il était encore trop tôt pour boire un scotch et il devait être parfaitement clair quand il expliquerait à Powers ce qu'il attendait de lui. Il fouilla dans la poche de son veston Armani, prit la clé du coffre-fort de la galerie, l'ouvrit et s'empara d'une liasse de billets. Elle était destinée à l'achat d'une petite toile de Borduas, mais il fallait parfois faire des sacrifices pour dormir en paix.

* * *

Samedi, 13 juillet 2013, 8 h 30

L'enterrement de Mme Bianca Bédard, de son nom d'artiste Bianca Esposito, décédée accidentellement la semaine dernière, a eu lieu à la chapelle Saint-François. Beaucoup d'admirateurs se pressaient, avenue Laurier, pour faire leurs derniers adieux au mannequin qu'ils admiraient. Bianca Esposito avait à peine trente ans, mais elle jumelait sa carrière d'impératrice de la beauté à celle de créatrice de bijoux et…

Louise baissa le son du téléviseur, sourit à Freya et Melchior et leur confia que, sans son intervention, Bianca Esposito n'aurait jamais figuré à la une des journaux. Il avait suffi qu'elle chute malencontreusement dans l'escalier d'un stationnement intérieur pour en faire l'héroïne du jour. Elle aurait sûrement aimé tout ce tapage autour d'elle.

Tout le contraire de Louise qui goûtait, pour la première fois depuis longtemps, à une quiétude parfaite. Il était temps ! En quittant Michel Dion, la semaine précédente, elle avait écouté le message que lui avait laissé Marie-Josée Bélanger et s'était empressée de la rappeler. Elle lui avait même offert de la rejoindre au poste de police où l'enquêtrice lui avait reproché de ne pas avoir été plus franche en évoquant ses rapports avec Roland Ellis. Louise s'était entêtée à dire que cette photo où le juge l'embrassait n'était qu'un malentendu : il l'avait prise par surprise et elle l'avait repoussé l'instant suivant. Ce que Bianca lui avait manifestement caché.

Marie-Josée Bélanger lui avait rappelé leur éventuel voyage en Champagne.

— Mais je vous ai dit que ça ne m'enchantait pas. Je savais que je serais obligée de clarifier les choses avant notre départ, si Roland Ellis s'entêtait à venir en France. Je n'ai pas apprécié ce baiser qui me mettait dans une position très embarrassante vis-à-vis de son épouse. C'est pour cette raison que je n'ai pas parlé de ce baiser idiot. C'était gênant pour tout le monde.

Marie-Josée Bélanger avait scruté le visage de Louise tandis qu'elle leur donnait sa version des faits sans déceler le moindre tic, le plus petit frémissement qui aurait trahi la nervosité d'une menteuse. Louise quitta le poste de police une heure plus tard, laissant Bélanger et Fortunato découragés, résignés à conclure à la mort accidentelle du juge.

Louise avait ensuite gagné le restaurant où elle avait discuté avec Guido du groupe qui avait réservé le salon privé pour la soirée. Plus tard, Judith était passée avec le sac de Carte Noire que Louise avait apporté chez elle, le lendemain de la mort de Roland. Judith y avait soigneusement rangé les disques des enregistrements et elle avait rendu le sac à Louise devant tout le monde, en disant qu'elle retrouvait l'appétit et qu'elle voulait acheter le fameux cake de Guido.

— Vous ne voulez pas plutôt souper ici ? avait dit Louise en prenant le sac.

— Pourquoi pas ? Y a-t-il ces fameux raviolis au homard et mascarpone que j'adore ?

— Toujours.

— Et le veau farci aux herbes ? Et le tiramisu aux fraises des bois ? Quoique cette merveille chocolatée...

Judith avait confessé qu'elle ne pouvait résister à la nouveauté de Guido, un poème d'équilibre entre le croquant du biscuit à la noisette, le moelleux du gâteau, l'onctuosité de la ganache et cette touche surprenante de liqueur de poire concentrée en billes de sucre qui s'évanouissaient sous la dent.

— Ça me fait plaisir de voir que vous allez mieux, avait fait Guido en rougissant sous le compliment.

Le lendemain matin, après avoir écouté les infos où on annonçait que le corps d'une jeune femme avait été découvert dans un stationnement près du port, Louise avait revêtu sa tenue de joggeuse en souriant : Michel Dion avait rempli sa part du contrat. Elle avait couru jusqu'au restaurant où elle devait le rejoindre avant l'arrivée des employés.

— Je ne pense pas vous revoir à court terme chez Carte Noire, avait-elle dit après lui avoir remis les enregistrements.

— Pas dans l'immédiat, avait convenu Michel Dion, mais nous pouvons continuer à communiquer.

— Vraiment ?

— J'apprécie votre manière de régler les problèmes. Je me suis un peu renseigné sur cette mort violente pour laquelle les enquêteurs vous ont questionnée. C'est donc votre propriétaire qui est tombé du toit ?

— Oui, répondit Louise en se demandant si Michel Dion laissait vraiment sous-entendre qu'il envisageait d'avoir recours à ses talents si particuliers.

— Un accident est si vite arrivé. Les enquêteurs n'ont pu prouver le contraire…

— Oui, mais comme ils m'ont entendue alors et qu'ils m'ont questionnée cette semaine à propos du juge et de Bianca, je suppose que les enquêteurs vont revenir me voir aujourd'hui pour me parler d'elle.

— Ça me paraît inévitable. Je suppose que vous avez un alibi ?

— Je suis restée au restaurant jusqu'à minuit et ensuite je suis allée finir la soirée dans un bar du centre-ville. Avec Martina et Joanie. C'était justement l'anniversaire de Joanie. Nous sommes rentrées à 3 h du matin.

Michel Dion l'avait complimentée sur sa bonne mine malgré le manque de sommeil avant de préciser qu'un appel téléphonique avait dirigé les patrouilleurs vers le stationnement du port autour de minuit.

— C'est très bien. Tout va rentrer dans l'ordre.

Louise avait cependant dû puiser dans ses réserves de patience pour garder son calme avec Marie-Josée Bélanger et Frank Fortunato qui s'étaient présentés deux heures plus tard au restaurant. Elle avait fait semblant d'être surprise de les revoir, avait mimé la stupeur en apprenant que c'était le meurtre de Bianca Bédard qui les avait forcés à revenir l'interroger.

— Qu'est-ce que vous voulez que je vous dise ?

— Où vous étiez hier soir.

Louise avait expliqué qu'elle était sortie avec les jeunes serveuses du restaurant.

— Elles seront là en fin d'après-midi si vous voulez les voir. Le samedi, nous n'ouvrons que le soir. Habituellement, elles arrivent à 16 h. Qu'est-ce qui s'est passé avec Bianca ?

— Elle s'est rompu le cou.

— Elle est morte ? dit Louise en adoptant un ton d'incrédulité. Morte ?

— C'était dans le journal, ce matin. Qu'est-ce que vous en pensez ?

— Je n'étais pas au courant. Vous ne vous attendez pas à ce que j'éclate en sanglots, non ?

— Vous n'avez pas entendu les infos, ni lu le journal ?

— C'est Guido qui l'achète. Il devrait d'ailleurs être déjà ici. Voulez-vous un café ?

Marie-Josée Bélanger avait dévisagé Louise d'un œil mauvais avant de refuser son offre. Frank Fortunato et elle étaient repartis en disant qu'ils reviendraient sûrement pour discuter avec elle. Louise les avait regardés gagner leur véhicule avant de pousser un soupir de soulagement. Peut-être qu'ils se présenteraient de nouveau au restaurant, peut-être même qu'ils la convoqueraient au poste de police, mais ils n'avaient aucune preuve pour l'incriminer. Ils ne pourraient jamais monter un dossier contre elle.

La semaine s'était écoulée sans qu'ils reviennent l'embêter et c'était aussi bien ainsi, car les soucis s'étaient multipliés au restaurant : un congélateur avait rendu l'âme, Martina s'était foulé une cheville le soir de leur sortie et n'avait pu assurer le service et elle avait dû sermonner Mélissa qui était arrivée deux fois en retard au boulot.

— Tu as toujours été ponctuelle. Qu'est-ce qui se passe ?

— Le bébé ! Il braille tout le temps ! Je n'ai pas dormi de la nuit ! Je pensais que ma mère resterait plus longtemps à l'hôpital, mais non, elle est revenue à la maison lundi !

Louise, au contraire de Mélissa, se réjouissait de l'arrivée du bébé qui tiendrait Dorothée occupée pour quelques années. Elle aurait moins de temps à lui consacrer et tout le monde s'en porterait mieux. Quant à Victor, il avait enfin ce qu'il avait toujours souhaité : un fils. Il se tournerait résolument vers l'avenir et garderait enfouis à jamais les secrets de leur passé.

— C'est normal que ton frère pleure, avait-elle dit machinalement à Mélissa.

— Je veux partir de la maison !

— Ça va s'arranger. Réjouis-toi au moins pour une bonne chose. J'ai récupéré la timbale que Vincent avait volée. Il paraît qu'il part pour Barcelone.

— Je m'en fous, avait menti Mélissa.

— Tant mieux, s'était contentée de répondre Louise.

Mélissa avait failli rétorquer que ses fréquentations ne regardaient pas Louise, mais elle était flattée que celle-ci s'intéresse à elle et avait promis d'être là à l'heure le lendemain.

— J'aime mieux être ici ! Victor et Dorothée sont obsédés par Thomas. Ils ne parlent que de lui. Victor veut qu'on déménage à la campagne.

— À la campagne ? avait dit Louise en dissimulant sa satisfaction à l'idée de ne plus voir débarquer Dorothée chez Carte Noire.

— Je n'irai pas. Je vais louer une chambre sur le campus. Je vais enfin avoir la paix.

Louise avait acquiescé. S'il y avait une personne qui pouvait comprendre qu'on souhaite avoir la paix, c'était bien elle!

Et elle l'appréciait justement, une semaine après les événements. Même si c'était un samedi, elle avait pris congé pour jouir du plaisir d'être seule à la maison avec ses chats. En flattant Melchior derrière les oreilles, Louise lui présenta un pétale de Saint-Jacques à la vanille.

— C'est doux comme un soir d'été. Dommage que vous ne goûtiez pas au Puligny-Montrachet, mes chéris. C'est sublime…

Elle continua à caresser Melchior et Freya tout en leur promettant d'être plus souvent à la maison au cours des prochaines semaines. Elle avait été très occupée, mais ça ne se reproduirait plus.

— Nous n'aurons pas à déménager. Judith a vu le notaire, elle touchera bientôt l'héritage et je pourrai enfin acheter notre immeuble.

Elle savoura une gorgée de l'élixir bourguignon en songeant qu'elle aimerait bien avoir un nouveau chat. Est-ce que Freya et Melchior étaient trop âgés pour accueillir le petit tonkinois qu'elle avait vu dans une animalerie?

Elle regarda Freya s'étirer, bâiller. Elle l'imita. Elle aurait tant aimé naître chat! Mais, malgré sa condition humaine, elle retombait toujours sur ses pattes, comme les félins…

Bibliothèque publique de la Municipalité de la Nation
Succursale ST ALBERT Branch
Nation Municipality Public Library

Suivez-nous sur le Web

Consultez nos sites Internet et inscrivez-vous à l'infolettre pour rester informé en tout temps de nos publications et de nos concours en ligne. Et croisez aussi vos auteurs préférés et notre équipe sur nos blogues !

EDITIONS-HOMME.COM
EDITIONS-JOUR.COM
EDITIONS-PETITHOMME.COM
EDITIONS-LAGRIFFE.COM

Achevé d'imprimer au Canada par
Marquis Imprimeur inc.
sur papier Enviro 100% recyclé